DAIICHI

# 走らんか！

―福岡第一高校・男子バスケットボール部の流儀―

井手口孝

# まえがき

２０２０年12月27日、福岡第一高校・男子バスケットボール部は、ウインターカップの準々決勝で仙台大学附属明成に61－64で敗れました。男女を通じて大会史上５校目となる３連覇は叶いませんでした。

思い返せば、あの試合は私の采配ミスが敗因だったように思います。いや、実際にはあの試合のビデオを見返せていないんです。怖くて見られない。自分の悪いところがたくさん見える気がするからです。引きずっても仕方がないし、新しいチームが始まったのだから切り替えなければと思うのですが……勇気がないんですよね。

それでもときどき断片的に思い出すんです。第３クォーターのキエキエ・トピー・アリ（日本経済大学）がファウルトラブルに陥ったあたりから、ジャッジに対する気持ちも含めて、私自身がちょっと冷静さを欠いてしまいました。第４クォーターのタイムアウトも間違えた気がするし、選手起用ももう少しなんとかならなかったかなと。

いいときはすべてがいい方向に回るものです。メンバーチェンジをすればその選手が活躍するし、ディフェンスを変えたらそれがうまくハマる。それがあの試合に限っては、第４クォーターくらいから負のスパイラルに陥ってしまいました。

負けるのはやはり監督の責任だと思います。3年生にとっては最後の大会だったのですから、彼らにはただただ申し訳ないなと。そうすると自分で指揮を執るのが怖くなるんです。新型コロナウィルスの感染状況に収まりが見えず、ウインターカップ以来、公式戦はまったくやっていません。2021年5月1日が久しぶりの公式戦になります。インターハイの地区大会です。

正直に言えば、今はまだ指揮を執るのが怖いんです。

2020年のウインターカップが始まるまでは自信満々でした。大会連覇を達成していましたし、その年のチームも、インターハイこそ新型コロナウィルスの影響で中止になりましたが、十分日本一を狙えると思っていましたから。しかし準々決勝の対戦相手であり、日頃からお世話になっている仙台大学附属明成の佐藤久夫監督に睨まれたら、〝蛙〟になってしまいました。私ごときはまだまだそのレベルの指導者です。

一方で、私が福岡第一で男子バスケットボール部を立ち上げて以来、27年間でインターハイを4回、ウインターカップを4回制することができました。その間にはさまざまなことがありました。「インターハイを4回」と書きましたが、高体連の公式記録上は「3回」になるはずです。そうなることもあったんです。詳細は本編に記しますが、今なお私の教官室には2004年度の賞状分のスペースと、福岡第一の上から他校の名前が貼られた盾があります。そうした結果だけではない、さまざまな出来事もたくさんありました。

定年を迎えるまで、2021年を含めてあと3年。書籍を出版しようとは思ってもいませんでしたが、そろそろ自分のこれまでを年表的にまとめておこうかなと思っていました。そうしたところに、本書を出版しませんか、という話が舞い込んできた。即答でお受けすることにしました。私にとってもちょうどよいタイミングだったんです。

2020年に取材が始まったときは自信満々だった私が、取材を終えるというタイミングで指導が怖くなる。これも高校バスケットのひとつの醍醐味です。怖さであり、おもしろさでもある。今は怖さが私を覆っていますが、本書が出版されるころにはまた変わっているかもしれません。自信を取り戻しているかもしれないし、もっと負のスパイラルに陥っているかもしれない。

ウインターカップで敗れて、福岡に戻ってきたら、学校から「2週間は出てこないでください」と言われました。もちろん新型コロナウィルスの影響を考えての措置です。その後、縁起を担いで、2021年1月11日11時11分に新チームの練習を開始しました。

実はその日からすでに地元のテレビ局が取材に来てくれていました。仲のいいディレクターさんが「先生、いつから始めるの?」と聞いてきたので、「1月11日だよ」と言ったら、取材をさせて欲しいと。当日、テレビカメラが我々のほうに向けられているなか、私は子どもたちにこういいました。

「負けたにもかかわらず、こうやって取材に来てくださるってことは、まだまだ俺たちも捨てたものじゃないんだ。これを励みに頑張ろう」

ある意味で自分自身に言い聞かせる言葉だったのかもしれません。

1人の教員が27年前に立ち上げた部が、バスケット界では全国でも多少はその名を認められるチームになった。その歴史を振り返る本書が、読者のみなさんの日々に何かしらの励みや参考になって、また頑張ってみようと思えていただけたら幸いです。

# 目次

第4章

# 強いチームになるために……115

構成…… 三上 太
カバー写真…… 松尾／アフロスポーツ
本文写真…… 長田洋平／アフロスポーツ
装幀・本文組版…… 布村英明
編集…… 柴田洋史（竹書房）

# 第1章 運命に導かれて

## 指導者としての原点は女子高

「自由が丘に玉川聖学院っていう女子高があるんだが、コーチに行くやつはいないか?」

日本体育大学の後期授業が始まった1982年9月のことです。

コーチの呼びかけに、男子バスケットボール部の1年生だった私は何の迷いもなく、スッと手を挙げました——自分が行きます。

元々私はコーチ志望でした。将来は高校の体育の先生になって、バスケット部の監督になりたい。体育の先生といえば、当時は日本体育大を卒業している人が多かった。しかも私が高校3年生の時に日本体育大がインカレで優勝をしているんです。のちに日本代表に選ばれる内海知秀さん(女子バスケットボール日本代表・前ヘッドコーチ。日立ハイテククーガーズヘッドコーチ)や瀬戸孝幸さん(大阪産業大学バスケットボール部監督)らが活躍する記事を読んで、自分の将来を築くにはこの大学に行くしかない。そう思って受験し、なんとか合格したわけです。

実際にバスケット部に入ってみると、選手としての壁はとてつもなく高かった。日本体育大の男子バスケット部には1軍から3軍まであります。当然1軍が主力チームです。2軍はAとBに分かれるのですが、そこまでは完全な実力主義。3軍は出身地方別に1班から4班に分けられます。福岡出身の私は3軍の4班でした。同期で、開志国際高校(新潟)・男子バスケット部の監督をしている富樫英樹(B・LEAGUE・千葉ジェッツの富樫勇樹の父親)は3軍の1班か、2班でした。ほかにも県立足羽《あすわ》高校(福井)・女子バスケット部監督の林慎一郎や就実高校(岡山)・女子バスケット部監督の佐原雅明、Wリーグの三菱電機コアラーズでゼネラルマネージャーをしている山下雄樹が同期でした。山下と佐原は1軍、林は2軍のAだったかな。

近年、高校バスケット界で勝っている監督はたいていが日本体育大の2軍か、3軍出身です。仙台大学附属明成(宮城)の佐藤久夫監督も日本体育大バスケット部の2軍でした。もちろん佐原のように1軍から高校の監督になった人もいますが、その多くは当時の日本リーグや地域の実業団チームに入っていましたから、必然といえるかもしれません。

日本体育大で1軍の選手になるのは難しそうだ。ならば思い描いていたとおり、コーチングを学ぼう。当時私は学校の寮に住んでいたのですが、厳しい上下関係もあるし、できればそこにいる時間を短くしたい。そんな思いもあって、手を挙げたわけです。

「行ってよし!」

コーチの許可を得て、私は玉川聖学院のコーチになりました。

大学での4年間と、修士課程を終えた後も1年、日本体育大の専攻科に残ったので、あしかけ5年、玉川聖学院のコーチを務めたことになります。その5年が私の指導者としての原点といえるでしょう。

## 同じような思いを後輩にさせてはいけない！

私は福岡の私立校、西南学院高校を卒業しています。西南学院高は私が生まれた1963年にインターハイに出場しています。初戦で敗れたのですが、その相手が県立能代工業高校（秋田。2021年から県立能代科学技術高校）でした。故・加藤廣志先生が初めてインターハイに出場して、初勝利を挙げた相手が我が母校だったんです。

以来、西南学院高のバスケット部は全国大会に出場していません。それどころか、私が入学したときには3部制の福岡地区で3部にいました。コーチもいません。先輩を中心に練習をするわけですが、3年生はゴールデンウィークを過ぎたあたりで引退するんですね。1つ上の先輩はおとなしい人たちが多くて、私が1年生の途中から実質的なキャプテンのような形になり、練習を主導するようになったんです。

先輩はそういう人たちでしたが、同期には恵まれていました。練習試合などを通しても、もしかしたら3部から2部、2部から1部へと上がれる力があるかもしれない。そんな希望を胸に抱いていました。そうして迎えた新人戦――先生が来ない。

顧問は用事があるため、別の体育の先生に代役をお願いしていたんです。その先生が日程を間違えてしまった。没収試合です。当時の西南学院高には遊び人が多く、その遊びを我慢してまでバスケットに取り組んでいたのですが、その没収試合で緊張の糸が切れたのでしょう。チームは散り散りバラバラになってしまった。遊びに走る子と、私のように、それでもバスケットが好きで練習を続ける子で分かれて、チームが崩壊してしまった。

「同じような思いを後輩たちにさせてはいけない」

私は決意しました。大学を卒業したら母校に戻ってこよう。帰ってきて、俺がバスケット部の先生になろうと思ったんです。

ちなみにいえば、翌年の新人戦では2年生の私がコーチとしてベンチに入りました。審判もしました。指導者としての原点は玉川聖学院にありますが、それ以前にもコーチの真似事みたいなことはしていたんです。

玉川聖学院でコーチを始めたとはいえ、そこは学生です。卒業後の進路も考えなければいけません。当時、西南学院高から日本体育大に行った生徒はたいてい、卒業後に2年間、母校で非常勤講師を務める通例があったんです。私も当然、それができると思っていました。

しかし、どうも先生たちの態度がおかしい。「おまえなぁ……」と歯切れが悪い。専攻科に残ろうかとも考えていたので、それを伝えると、「そうか、残れ、残れ」と勧めてくる。

実は私の1つ下に、やはり西南学院高から日本体育大に進んだ生徒が2人いて、その2人の恩師というのが西南学院高で力のある体育の先生だったんです。先生としたら私よりも直接の教え子である2人のほうがかわいい。バスケットをしていたとはいえ、高校時代の私の素行もけっして褒められるものではなかったから、先生としては余計にその2人を迎え入れたい。

「井手口、おまえ、非常勤にはなれないかもしれない」

私としては大学の専攻科に残って、玉川聖学院のコーチを続けるつもりでいたので、それを受け入れたんです。しかもその1年の間に玉川聖学院に就職できそうになった。次回は理事長面談ね。そんなところまで話が進んでいたのですが、最後の最後で白紙に戻ってしまった。というのも、これまた私の1つ下で、玉川聖学院から日本体育大に進んでいた女性がいた。しかも彼女は正真正銘のクリスチャン。学校側としても卒業生の彼女の方がいいだろうという話になったんです。「井手口くん、ごめん、彼女になるわ」

どうしようか。そう思っていたタイミングで、例の体育の先生が上京してきたんです。教え子2人のために西南学院高以外の就職願書を携えて。

「井手口、おまえ、玉川聖学院に決まったとやろ?」

「いや、ちょうど今日、ダメになったんです」

「そうか……じゃあ、おまえにもここの願書をやっとこう」

その願書こそが、採用してもらった中村学園女子高校のものでした。

## 教員の始まりは全国区の女子高で

中村学園女子のバスケット部は当時から全国区でした。当然私もバスケット部に入れてもらえるものと思っていました。しかし初年度はソフトボール部の顧問でした。というのも、私の中学時代の恩師がソフトボールで2度も日本一になったことのある、全国的にも名の知れた先生だったんです。しかも先生は、私が中村学園女子の採用試験を受けると聞きつけて、わざわざ学校に挨拶に行ってくださっていた。

「今度、俺の教え子が採用試験を受けるもんなぁ。井手口ってやつだけど、あいつは俺が教えた子の中で一番いい生徒だったもんなぁ」

そんなことを言ってくださったそうです。中村学園女子はソフトボール部も強かったので、学校としてもその先生の言葉を聞き流すわけにはいかない。むしろその先生の教え子だったら、ソフトボール部は盤石だと考えたわけですね。

「井手口、おまえ、高野(栄一)先生の教え子だって?」

中村学園女子でのスタートはソフトボール部の顧問から

「はい」

「じゃあ、おまえ、ソフトボール部をやれ！」

さすがに唖然としました。すぐに恩師に言いに行きましたよ。

「勘弁してくださいよ。俺、ソフトボール部ですよ」

「ええやないか」

「全然おもしろくないですよ」

その会話を、たまたまその先生と同じ職場にいた、中学時代のバスケット部の恩師も聞いていて、

「それでいい。1年目は非常勤やろう？　まずは先生になること！」

鶴の一声のようなこの言葉もあって、1年目はソフトボール部の顧問を務めることになったんです。

それでもまだソフトボール部のときはよかったんです。グラウンドで練習をするからバスケット部の練習は目に入ってこない。しかも全国を目指すようなチームだから、練習もピリッとしている。でもなぜか2年目にバレーボール部の顧問に換わるよう言われたんです。当時のバレーボール部は中村学園女子のなかで唯一全国大会に出ていないクラブでした。しかもバスケット部と同じ体育館で練習をしている。

ちょうどその頃、北九州市立折尾中学校に永井種雄先生が赴任してきて、同校の女子バスケット部を全国レベルに引き上げていたんです。その卒業生たちが中村学園女子に来る。バレーボール部の練習をしていても、目に入るわけですよ。大きくて、うまくて、速い。こんな子たちとバスケットができたら楽しいだろうなぁ。そう思っていました。

一方で、実は中村学園女子に入った1年目から異動願いを出していたんです。同じ系列で中村三陽という男子校があるから、そこに行かせてくださいと。何のために日本体育大で厳しい指導を受けながら、同時に玉川聖学院でコーチングを学んできたのか。体育の先生になりたいという思いもありましたけど、バスケット部を見たいという思いがあったから、頑張れていたんです。

結果として中村三陽への異動は叶いませんでしたが、3年目にようやくバスケット部に携わることができるようになりました。

当時の中村学園女子は石井昭美先生が監督で、吉村明先生がコーチ。私はマネージャーという名の〝何でも屋〟です。試合には、女子日本代表を率いたこともある笠原成元先生も来られていて、いつもベンチの反対側に座っている。試合中、笠原先生がメモを書くと、私がすかさずそれを取りに行く。ベンチに戻ってきて、指揮を執っている吉村先生に「先生、笠原先生がマンツーマンに変えろって言っています」。伝言係です。

その年は松山インターハイで3位。翌年はウインターカップ準優勝。私がバスケット部に携わって3年目の1991年、中村学園女子はウインターカップで初優勝を遂げました。

今思い返しても、玉川聖学院の5

中村学園女子のウインターカップ優勝祝賀会にて
石井昭美先生（右）と吉村明先生（中央）とともに

年間と、中村学園女子での6年間が——最初の2年間こそツラい日々でしたが、指導者としての私にとって大きな意味を持っていたと思います。

玉川聖学院時代は東京都女子の高体連の先生方にさまざまなことを教わりました。学生だった私を「井手口、おまえは体育の先生になるんだから、ここで勉強しろ」と言われて高体連の会議に招き入れてくれたり、玉川聖学院がクリスチャンの学校だったため、日曜日の練習ができないと聞くと、日本体育大のレフェリーチームとは別に、「井手口、審判をしてくれ」と練習試合に呼んでくださったりもした。土曜日に練習試合をさせてもらうと「なぜあそこでタイムアウトを取らなかったんだ?」と、タイムアウトの取り方まで教わったこともあります。

中村学園女子では吉村先生のしつこいくらい細かな指導を目の当たりにしました。石井先生からはスカウティング(リクルート)力の奥深さを学びました。

あるとき、石井先生がいいと思う中学生が、私にはどうも腑に落ちないところがあったんです。

「先生、あの子は何がいいんですか?」

「顔がいい! 顔がよくなきゃだめだ」

冗談のように聞こえるかもしれませんが、真実なんです。表情や立ち姿がかっこいい子には何かがあるんです。選手としても伸びていく。そうしたチーム作りの妙と、しつこく、細かいコーチングを4年間で教えていただきました。それが今の福岡第一高校にも色濃く反映されています。

## 勝負を賭けて踏み出した一歩

中村学園女子でバスケットに携わって3年目、ウインターカップで優勝した年に、ふと「ああ、ずっとこのままだな」と思ったんです。当時は28歳。結婚をして、子どもも1人生まれていましたから、ああ、このまま吉村先生のアシスタントをしていたら、45歳くらいでようやくベンチワークができるのか。その前にどうでもよくなってしまうんじゃないかな、と思い始めてきたわけです。

日本体育大に入るときは、30歳までに監督として全国大会に出ることを目標に掲げていました。卒業して5～6年であれば、達成できなくもない目標だろう。それが現実的に難しくなってきた。ああ、俺もあと2年で30歳になるのか……。

そんなときに中村学園女子の吹奏楽部の先生が福岡第一に移ったんです。当時の福岡第一には女子バスケット部しかなく、田辺スナ子先生が指導されていました。田辺先生は女子日本リーグ（現・Wリーグ）の第6回新人王に輝いた人で、指導者になって福岡第一をインターハイに出場させていたんです。しかし、どうしても中村学園女子には勝てない。吹奏楽部の先生が福岡第一の校長に進言してくださって、また私自身も田辺先生とは国体の少年女子チームでマネージャーとアシスタントコーチという間柄だったので、田辺先生から誘っていただいたんです。

「あんた、中村におっても何もさせてもらえんけん、おもしろうなかろう？　ウチに来たら指導させるよ。第一に来んね？　私もだんだん学校の中で偉くなりよるけん」

それもありかなと思って、吹奏楽の先生に相談したら、彼も「勝負したかったら来いよ」と言う。私は中村学園女子を辞め、福岡第一に移る決断をしました。

とはいえ、私立高校からすぐに別の私立高校に転職することは、いかにも引き抜いたイメージが強くて、印象的によくない。そこでまずは福岡第一と同じ系列の短期大学で講師になり、ワンクッションを置く形を取りました。

それでも福岡第一の女子バスケット部を指導できるならと思っていたのですが、実際に行ってみると、田辺先生が動かない。ご自身が指導しているから、他人に入られるのはいい気分ではないわけです。結論から言えば、女子バスケット部には入れてもらえませんでした。それでも5月くらいまではお手伝いをしていて、インターハイ予選のベンチにも入りました。その会場で中村学園女子の韓国人留学生に殴られましたね。彼女たちは私のクラスだったのですが、私はその子たちを置いて出てきたわけです。だから恨んでいたのでしょう。

そんなこともありましたが、福岡第一に転職しながら、またしてもバスケットが指導できない。そのときはなんとなく「このまま女子大生と一緒に和気あいあいとバスケットを楽しむのもいいかな」と思っていたんです。そんなときに田辺先生が保護者からクレームを受けてしまった。そこで学校は「田辺先生を短大へ。井手口先生を福岡第一に」という措置を取ったんです。私は1年の短期大学生活を経て、1994年、当初の予定どおり福岡第一に移ることができました。

しかし、事は簡単に終わりません。短大に移られてからも田辺先生は「自分が連れてきた子どもたちだから」と女子バスケット部の指導を譲りませんでした。私はすでに短期大学から離れているし、高校での授業もあり、担任も持っていたので、女子大生とバスケットをすることはできません。福岡第一にいながら女子バスケット部の指導ができない。当時は男子バスケット部もありませんでしたから、いよいよすることがなくなってしまった。

気づけば「監督として全国大会に出る」と目標に掲げた30歳を越えていました。

第2章

# 福岡第一バスケ部の軌跡

## パラマ塾から始まった男子バスケット部

福岡第一高校には毎週土曜日に「パラマ塾」と呼ばれる授業があります。これは校是《こうぜ》である「個性の進展による人生錬磨」、つまり誰もが持つ個性を伸ばすことで、好きなこと、得意なことを生涯にわたって磨いていこうというものです。「パラマ塾」の時間は子どもたちのやりたいことをやっていい。ちなみにいうと、福岡第一の「第一」は仏教哲学の「第一義諦《ぎたい》」から由来していて、それをサンスクリット語で言うと「パラマ・ルタ」になる。だから「パラマ塾」なんです。

前記のとおり、当時の福岡第一に男子バスケット部はありませんでした。ただそれを知らずに入学してきた生徒も大勢いました。1994年といえば、漫画『スラムダンク』が流行っている時期です。生徒たちから「先生、バスケやろうやぁ」と声をかけられ、「そうや?」と返してみたものの、私がこれまで指導してきたのは女子です。短大も含めると12年間、女子を指導していたので、どうしたものかと逡巡しました。しかし私自身もバスケットをやる場所がなかったわけですから、やってみるかと「バスケットパラマ」を開講したんです。そうしたら思いのほか生徒が集まってきて、100人規模のクラスになってしまった。

こんなにもバスケットをしたい男子がいるのか。1ヶ月くらい経ってから、生徒に「どうする?クラブ活動にしてみるか?」と聞くと、40〜50人くらいが「やる、やる」と言うわけです。「先生がおるなら、クラブにしようや」。私も「もう男子でいいや」と思って校長に言いました。

「これだけ受講者が多いし、男子バスケット部を作っていいですか?」

校長からOKを貰えたのが1994年6月1日です。だから福岡第一高校・男子バスケットボール部の創部記念日は、中途半端な6月1日なんです。

男子バスケット部ができたとはいえ、苦難の道は続きます。

まずは使える体育館がない。今でこそ隣接する系列の大学、第一薬科大学のキャンパス内にある都築頼助記念体育館を全面使えていますが、当時はそこをバドミントン部とバレーボール部が使っていました。その体育館を使えるのは毎週土曜のパラマ塾の時間と、平日の朝だけ。どうやらバドミントン部もバレーボール部も朝は使っていないらしいとわかって、「よし、おまえたち、朝、来い」。実はこれ、すごくいいことなんです。朝の練習に来れば、遅刻をせずに済むわけです。そうした些細なことも学校ではとても重要なんです。男子バスケット部の生徒は遅刻をしないぞという評判が立てば、こちらも積極的に活動ができます。

ただ当時の福岡第一は相当荒れていました。漫画『ビー・バップ・ハイスクール』のモデルはウチではないか、と言われたほどです。作者のきうちかずひろさんは福岡県福岡市の出身ですから……ただ福岡大学附属大濠の卒業生ですけど。

赴任してきた当初は、授業の合間の休み時間にはトイレの前に立っていて、昼休みもトイレの前で昼食を食べていました。トイレ内でたばこを吸う生徒がいたからです。体育館も土足の跡があったり、ガムが平気で吐き捨てられている。毎朝子どもたちにシュートを打たせながら、私は「ガム取り」と呼ばれる鉄製のヘラでガムを取っていました。そのうち、あまりにもひどいので「おまえらも掃除せんか！」なんて言いながら、1年目を過ごしていました。

するとその年の終わりごろにバドミントン部の顧問が転勤になったんです。呼応するかのように、部もパタリと活動しなくなった。これで1面を使えることになったのですが、当時から練習を厳しくやっていましたから、気づいたときには40～50人くらいいたはずの生徒が、翌年3年生になる3人と、2年生になる2人、マリちゃんとキョウコちゃんという2人のマネージャーの7人になっていました。マリちゃんとキョウコちゃんは福岡第一・男子バスケット部の最初で最後の女子部員です。

創部１年目、最初で最後の女子部員の姿も。ここから歴史が始まった

バレーボール部はその後も2〜3年、粘っていました。最後は生徒も2人か3人、顧問も出てくるかどうかというクラブでしたが、それでも体育館を譲ろうとはしません。男子バスケット部が順調に部員数を増やしていき、近くの中学校が練習に来ていても、決してフロアを貸してはくれませんでした。

それはつまらない体育教員の悪弊です。相当いじわるされました。いじわるというよりあら探しです。朝練のあとに掃除をしていなかったとか、部員の荷物が置きっぱなしになっていたとか。私もそれを言わせないために生徒たちを厳しく指導しました。練習も厳しかったと思いますが、それ以上に生活面のことを鬼の形相で言っていましたから、生徒たちは怖かったと思います。私としては周りからそんな文句を言われずに、生徒たちに好きなバスケットを思い切りさせてあげたいという一心だったんです。ただ生徒たちにはなかなか伝わらないですよね。きっと「井手口が今日も怒っている」という感じだったと思います。

中村学園女子のときは、同じ体育の先生たちがそれぞれのクラブを一生懸命やっているから、厳しい面もありましたけど、クラブは守ろうとしていたんです。何かあれば助けよう。成績も、評定が大学進学に影響するから運動部の子は5が付くようにしよう。そんなことを暗黙の了解でやっていたんです。福岡第一は違いました。今思えば、そうしたあら探しをするのは、たいてい部活動の顧問をやっていない体育科の先生でしたね。

そうした先生がいるなかで、私のように粋がって「男子バスケット部を作ります。日本一を目指します」なんて言うと、「おまえ、バカか?」って言われるわけです。誰がそれを言うかといえば、先生が言うんです。しかも同じ体育科の先輩たちがそれを言うわけです。悲しかったですね。

「おまえ、なんで中村を辞めてきたとや? 中村におったらよかったろうもん。日本一やろ? ここで男子バスケット部を作って、10年で県大会に行けたらええっちゃない? というか、今から男子が集まるわけなかろうもん。(福岡大学附属)大濠もあって、九産大九州(九州産業大学付属九州)、東福岡、福商(市立福岡商業。現・市立福翔)もある。どうせ、ウチに選手は来んよ」

それ以来、私は体育科の先輩たちとは一線を画すようになりました。もちろん付き合うときもありましたが、基本的には「井手口、飲みに行くぞ」、「行きません」。「一泊旅行に行くぞ」、「すいません、休日は練習があります」。「おまえ、ふざけるなよ」、「いや、俺は練習します」。こんな具合でした。

当時の福岡第一は各学年の定員が960人に対して、1000人以上の生徒がいました。学校全体で見れば3000人以上です。多いときは4500人という時期もありました。日本でも最大級の生徒数を誇る学校だったんです。私学ですから、生徒は多ければ多いほど学校経営としては安定する。あまりに多すぎて、生徒を辞めさせなければ学校に入れなくなる、という話が出たくらいです。それでも生徒が入ってくる。我々の給料だってよかったですよ。だから体育科の先生も「いちいちクラブなんてせんでもよかろうもん」なんて言うわけです。

私自身、中村学園女子でソフトボール部も率いたし、バレーボール部の顧問もしましたけど、体育の先生をしていると自分の専門競技を指導できないこともあります。ただ福岡第一に来て、バスケット部をやっていいという環境があるのなら、強かろうが、弱かろうが絶対にやろうと思うわけです。何を差し置いてもやろうというのが体育科の教員としての私の信念だったんです。しかし、当時の福岡第一にはそうじゃない人も多かったんです。

## 保護者から学ぶ

創部したときの7人(マネージャーを含む)は中学生にも負けるし、どちらかといえば掃除のほうが上手なチームでした。翌年、少しバスケッ

福岡地区でベスト8くらいになった3年目。初めて新聞で取り上げてもらった

フィールドの風

福岡第一高校男子
バスケットボール部
井手口 孝監督(33)

創部3年「いつでも本気」

実力つけ、県大会上位へ

時には厳しく、時には優しく指導する井手口監督

トのできる子が10人くらい入ってきて、その次の年、つまり3年目には福岡地区でベスト8くらいになりました。

勢いづいた私はその年の新人戦で1年生を起用しました。現在、東海大星翔高校(熊本)で監督をしている本郷宏や、日本経済大学(福岡)の監督をしている片桐章光、九州国際大学の監督をしている小津和《こづわ》俊洋たちです。この子たちを使い始めたら、2年生の親との間に溝ができてしまった。

彼らはバスケットができると思って福岡第一に来たんです。特待生もいました。ただ県内の強豪校から声をかけてもらえるようなレベルではなかった。そういう子どもたちを探して声をかけて、褒めあげた。福岡第一ならやれるぞと。親も「ウチの子でもいいんだ」と思って、入れてくれた。そうすると、そこそこのバスケットになってきたわけです。練習は厳しいけど、試合にも出してくれている。ところが下級生にいい子が入ってきたからという理由で、3年生になろうかというタイミングで「井手口はウチの子どもたちを外して、新2年生を使い始めた。どういうことや?」といきり立ってきたんですね。

今だったら丁寧に説明します。でも当時の私は30歳そこそこ。「てめぇ、この野郎」みたいに迫ってくる親御さんに対して、私も「俺がやることに文句言うな」といった態度しか取れなかった。「なんで3年生を使わんか?」って言われたら「勝ちたいから、こういう起用をしているだけや」。もちろん親御さんは私よりも年上です。「約束が違うやないか。ウチの息子を使うって言って、連れてきたんやなかか？」と迫ってくる。一番ひどいときには、体育館の上の部屋で深夜1時くらいまで口論になって、最後はあるお父さんがテーブルの上にあったガラスの灰皿を持ちあげて私を殴ろうとしました。それくらい私は生意気だったんです。

それでも折れることはできなかった。将来性だけではなく、現時点での実力も下級生のほうが上だったんです。それをちゃんと説明してあげればいいんだけど、当時の私にはうまくできなかった。逆に3年生に対して、より厳しくしてしまったんです。この屈辱を乗り越えて来いと。でも乗り越えられない。それはそうですよね。彼らに乗り越えるだけの力があれば2年生に負けてないわけですから。そうすると3年生たちはまた親に泣きつくわけです。泣きつかれた親も私ではらちが明かないから、私の妻にまで「おまえの親父(夫)はな、こんなひどいことをしているだぞ」って告げるわけです。携帯電話などない時代です。自宅に電話をかけてくる。妻には「もう一切電話は取るな」って言ったけど、彼女も嫌気がさしていたと思います。

あのとき本郷たち下級生を使ったことは今も間違っていなかったと思います。ただそのやり方がよくなかった。たとえば3年生の親を集めてこちらからきちんと説明をするなど、やり方はたくさんあったと思うんです。「卒業後の進路までしっかり面倒は見るけれども、今年は2年生を中心に使っていこうと思う。それがチームのためだから」。そう丁寧に説明すれば、子どもたちも、親御さんだって、きっと理解してくれたと思うんです。でも実際にはある日突然2年生を使い始めて、私自身にも余裕がなかったから「3年生はあっちのコートへ行け」なんて言うから「なんや?・」となってしまったんですね。

翌年、本郷や片桐たちの代になると、彼らの親御さんたちが「いいね、私たちは一切、井手口先生のやることに文句は言わんよ。お金は出すけど、口は出さんよ」とまとめてくれました。それでずいぶん救われましたね。

その出来事から私も学びました。実際に自分の子どもが成長して、ミニバスを始め、中学でもバスケットを続けた。そうなってくるとわかってきますよね。「下手なんだ。それはわかっている。だけど……」という思いが芽生えてくる。息子の試合を見に行って、ちょっとでも出られれば、親としては相当嬉しいわけです。

そういえば学生のときに明星学園高校(東京)の椎名真一先生が言っていたなぁと思い出すんです。「練習試合に親が見に来ていたら、その子どもたちを順番に試合に出す」と。そのときは学生でしたし、「親にそんな気を遣う必要なんてないだろう」と思っていたんです。でも椎名先生は気を遣っているんじゃなくて、親の気持ちを考えていたんですね。見に来たときにちょっとでも試合に出たら、その日の夕食は美味しく感じるだろうと。そのことがわかるようになるには年齢と経験を重ねなければならなかったんです。

今は子どもたちの親御さんよりも私のほうが年齢を上回ったこともあって楽になりました。しかも保護者の中に私の教え子もいるし、後輩のような人もたくさんいます。ただ、それでも私が「先生様」になってはダメなんです。やはり親御さんは常に子どもたちの保護者ですから。あのときのことがあって、それを大きく学ぶことができました。

前記のとおり、本郷や片桐たちの代の親御さんには本当に助けられました。偶然ですが、この代には2人のオリンピアンがいたんです。ひとりは片桐のお母さんで、モントリオールオリンピックのバスケット女子日本代表だった林田和代さん。もうひとりは同じくモントリオールオリンピックに出場し、ユニチカで活躍した山本幸代さん。結婚されて三角さんになりましたけど、その息子もいました。

そんな世界基準を知るお母さんたちだから、むしろ練習をしないと怒るんです。その息子たちは先ほども書いたとおり、下級生のときから起用されるんですけど、新人戦では負けているんですね。しかも1回戦で。

試合が終わって、応援に来ていたお母さんたちと一緒に学校に帰ってきたら、彼女たちが言うわけです。

「先生、練習せんと」

「そ、そうやね」

そう言いながら、私が戸惑っていると

「負けたっちゃろ。練習せにゃ」

それで火のついた私は選手を走らせました。今では考えにくいですけど、熱中症のような症状の選手が出ても、オリンピアンのお母さんたちが「大丈夫、大丈夫。この子たちにはまだ足の爪があろうが」と言うんです。彼女たちは足の爪がなくなるくらい練習したってことなんです。もちろん当時とはシューズの性能が違うわけですけど、さすがに「爪があろうが」って言われたときは私も言葉を失いました。

そんな筋金入りのお母さんを持つ息子たちを下級生のときから使い続けて、彼らが2年生のときに県でベスト4まで勝ち進み、3年生になったときに初めて県大会で優勝を遂げました。福岡市内の子どもたちで福岡大学附属大濠高校に勝ってしまうんです。当時は九州大会の県予選とインターハイの県予選が別々におこなわ

デイブさん(後列中央)との出会いが
指導者としての大きな転換点に

れていて、大濠に勝ったのは九州大会の県予選でした。インターハイ予選では負けましたけど、福岡県2位で初めてインターハイに出場したんです。1998年、創部して5年目のことでした。

## デイブ・ヤナイとの出会い

インターハイに出たことで学校のなかでも少しずつ自分の意見が言えるようになりました。そうして2000年の一学期、6月中旬から期末考査が始まる前まで、生徒たちを連れてロサンゼルスに行きました。デイブ・ヤナイさん(当時カリフォルニア州立大学ロスアンゼルス校ヘッドコーチ。日系人で始めてNCAAの男子チームのヘッドコーチになった人)にクリニックをしてもらうためです。

私自身はその8年前、中村学園女子時代にビデオ制作会社が主催する研修ツアーでデイブさんのクリニックを受けているんです。九州女子高校(現・福岡大学附属若葉高校)の池田憲二先生を誘って、

2019年夏、ディブさんご夫婦とロスアンゼルスにて

一緒に行きました。私はウインターカップを途中で抜け出しての渡米でした。そこでデイブさんを知るわけです。

さらに福岡市とロサンゼルス市がお互いの中学生を行き来させる交流事業をおこなっていて、福岡第一がアメリカの子どもたちを受け入れていた。そのときのコーディネーターに「デイブ・ヤナイって知っとう?」と聞いたら「おお、デイブは俺の家の斜め前に住んでいるよ。俺の草野球チームのコーチだよ」って言うわけです。

ちょうどその頃、県立小林高校(宮崎)がデイブさんのところに行くという話も聞こえていたので、「俺も行けないかなぁ」と言ったら、そのコーディネーターがつなげてくれたんです。「デイブも2週間くらいだったらいいって言ってくれているぞ」って。

しかも聞くところによると、ちょうどその時期、デイブさんはNBAのチームからもキャンプのオファーが来ていたそうなんです。それでも福岡第一が来るんだったら、NBAをキャンセルすると言うんです。当時は国内でもまったくの無名校でしたけど、日本からわざわざ来るなら、クリニックをしようと言ってくださったんです。

早速、理事長に相談したら、「お金は出すから、行ってきなさい」と言ってくれました。周りから何かを言われたら、理事長がOKしてくれたと言えばいい。そう思って、前年の冬から航空券の手配など、さまざまな準備をしていたんです。

そうしたら2000年の春ですよ。どうも理事長が怒っているらしい。何だろうと思って聞いたら、学園全体の入学者数が減ったと。特に大学の入学者が減ったから、大学職員をカットしなければいけない。それなのに、「なんで高校のバスケット部が学園のお金でアメリカに行かんといけんか。すぐにやめなさい」と言うわけです。

理事長の言うことですから、従わなければいけません。コーディネーターに連絡を取って、「申し訳ないけど、行けなくなりました。キャンセルしてください」。そう伝えたら、「キャンセルはできるけど、デイブさんとも、練習会場の大学ともサインを交わしているから、お金は支払わなければいけませんよ」と返ってきた。途方に暮れました。

行っても、行かなくてもお金を支払わなければならないのなら、借金をしてでも行こう。そう思って保護者に「渡航費として修学旅行に行くくらいのお金を出してもらえませんか」と相談しました。それ以外は私が工面しました。ウン百万の借金です。先輩が銀行に勤めていたので、安い金利で借りられる方法を聞いて、学校からも少しでも出してもらえるよう交渉して、それでも足りなかったので、当時新車で買った緑色のプラドまで売って……。そうしてロサンゼルスでデイブさんのクリニックを受けることになったんです。

それこそが私にとって、指導者としての大きな転換点になりました。

## 選手を大事にする指導

クリニックを受けるまでは、子どもたちに「アメリカを見せたいな」くらいの軽い気持ちだったんです。でもデイブさんは真剣に指導してくれました。オフェンスからディフェンスまですべてを指導してくださったんです。

でも私が何よりも強く感じたのは、指導者とはこれほどまでに選手を大事にするのかということでした。大事にするというのは単に「OK、OK」、「いいよ、いいよ」と優しい言葉をかけることではなく、生徒に対する観察がすごいんです。デイブさんが練習中に私のところに来て、「井手口さん、あの子のディフェンスはいいねぇ」と言うわけです。私はその子のディフェンスがいいなんて気づいてもいないわけですよ。むしろ、こいつ、下手だなぁくらいにしか思っていなかった。しかしデイブさんは「この子のディフェンスは最高だ」、「彼の読みはすごい」とか言うわけですよ。そう言われてみると、確かにうまいんです。ボールディフェンスではなく、ヘルプに行くタイミングや、そのやり方が絶妙なわけです。

最終日にはロサンゼルスで一番強かった、フェアファックス高校というNBA選手を毎年輩出しているような高校とゲームをやらせてもらいました。当時のエースは三井秀機という190センチくらいの子だったんですけど、彼が攻めてもことごとく止められるわけです。スティールされて、ダンクされて。もうやられ放題です。するとデイブさんが横から出てきてタイムアウトを取った。私からすると、いくらお世話になっているとはいえ、試合中にいきなりタイムアウトを取るってどういうことだよと思うわけです。指揮を執っていたのは私ですから。するとデイブさんが三井にカタコトの日本語で言うんです。

「ミツイ、あなたはいい選手。いい選手はミスをしても一生懸命戻る。どうして、あなたはいい選手なのにそれをやらないか」

そうしたら三井が泣き出したんです。

三井のことは彼が中学生のときから知っていたし、先輩の教え子だったこともあって、もっと小さいころから目をつけていた子だったんです。表現はよくありませんが、どれだけ殴ろうが、蹴飛ばそうが、フンっていう感じの子だったんです。私が何を言おうとも涙ひとつ見せるような子じゃない。それが、たかだか2週間教えてもらった人がしゃべりだしたら、泣き出した。しかもタイムアウトが明けると2メートルを超すような黒人選手に果敢に向かっていって、バスケットカウントを取ったりするわけです。

ショックでした。大好きな女の子を取られてしまったような……どれだけ口説いても、どれだけ貢いでもなびかなかった子が、デイブさんがちょっと声をかけただけでヒョイとついていった感じですよ。

悔しいという思いもありましたけど、結局〝コーチ〟とはそういうことなんだなって気づいたんです。今までは上から押さえつけて、やらせよう、やらせよう、俺の言うことを聞くのは当たり前だ、そうじゃなければ殴るぞというようなことをやっていたのが、恥ずかしいことだったなぁと気づいたんです。

「ミツイ、アナタ、イイセンシュ」

いつか私もこういうことを言える〝コーチ〟になりたいなぁと思ったのがこのときでした。

バスケットのスタイルもデイブさんに出会って大きく変わりました。今の福岡第一がやっているマンツーマンディフェンスの基礎はデイブさんから教わったものです。それまでは県立能代工業への憧れもあって、ゾーンプレスからゾーンディフェンスに移行する戦術を重視していました。素人ばかりの玉川聖学院のときからずっとです。それがロサンゼルスに来てマンツーマンの奥深さ、可能性の大きさを教わりました。デイブさんとの出会いがなければ、今の私も、今の福岡第一もないと言って過言ではありません。

## 指導者としてのターニングポイント

1998年に初めてインターハイに出場し、2000年にロサンゼルスに行くわけですが、その間は190センチくらいの大きい選手もいたんです。インターハイ初出場の時は平山憲功と酒井博俊というビッグマンがいましたし、その翌年からは下級生でしたけど、デイブさんに「アナタ、イイセンシュ」と言われた三井や、現在部長をしている今井康輔が190センチ前後で活躍してくれました。

それが2001年になると、急激に小さくなるんですね。一番大きいのが180センチくらい。しかも彼くらいしかドリブルをまともにつける選手がいなかったので、一番大きな彼をポイントガードにしました。現在、飛龍高校（静岡）・男子バスケットボール部の監督をしている原田裕作です。シューティングガードは170センチ、それ以外

教え子の原田裕作は現在、飛龍高校（静岡）の男子バスケ部監督を務めている

のポジションはみんな170センチ後半くらいでした。そのなかにデイブさんから「ディフェンスの読みがいい」と言われた子も入っていました。

そんな小さいチームでインターハイ3回戦まで勝ち進むわけですが、そこが私のバスケットの、ちょっとした集大成だと思っています。デイブさんから教わったマンツーマンを最大限に生かしました。それまでディフェンスはゾーンだ、という考えに凝り固まっていたわけですけど、マンツーマンは自由度が高くて、ヘルプ、ローテーション、ダブルチーム……いろんな事ができるわけですね。

ちょうどその年の春に「京都招待」と呼ばれる交歓大会に出て、現在、男子日本代表にも名を連ねる竹内公輔・譲次のいる洛南（京都）と対戦したんです。竹内兄弟がまだ下級生のときです。彼らは名前も知らないような高校と対戦して、少し気が緩んでいたのかもしれません。しかし、こちらとしては「せっかく洛南とやらせてもらうんだから、必死にやれ」と選手に発破をかけました。そうしたら洛南に勝った。洛南を率いていた作本信夫雄先生も、コーチの吉田裕司先生（現・監督）もきっと覚えていないと思いますけど、私のなかでは2メートルを超す双子のいる洛南に勝つなんて、私のバスケットはすごいって思ったわけです。

さらにこの年、インターハイ前だったかな、ナイキが主催するキャンプにも連れて行ってもらいました。そんなことが重なっていたから、私自身が悦に入ってしまったんです。「選手じゃない。俺のバスケットならどんな選手でも強いチームを作れるんだ」と。

そう意気込んで臨んだ熊本インターハイ。身長は大きくないけど、激しいマンツーマンディフェンスからのファストブレイク。現在の福岡第一の原型ともいうべきバスケットで3回戦まで勝ち上がって、北陸(福井)と対戦しました。当時の北陸には中国人留学生がいて、ウチの選手がルーズボールで留学生の足下に入ったら、留学生に顔を踏まれてしまった。その留学生は退場になってしまうのですが、試合そのものは我々が負けてしまった。

このときフッと「ああ、ここまでかな……」と思ってしまったんです。私自身、福岡の子どもたちだけで、しかも強豪校から誘われないような子どもたちでチームを作っていました。でも男子でこれ以上の成績を残すには限界があるのかもしれない。そう思ったんです。目標である日本一を目指すには、福岡県以外からも選手をリクルートした方がいいだろうなと考え始めたわけです。ただ、その時はまだ留学生を受け入れるという考えはなく、まずは県外の選手をと考えたのが2001年のインターハイでした。

## 県外生、そして留学生の受け入れへ

北陸に負けた試合を、ちょうど中村和雄さんが見てくださっていました。その中村さんが当時、新潟県新発田市立本丸中学校を率いていた富樫英樹(現・開志国際高校・男子バスケットボール部監督)に

生涯の師匠といっても過言ではない中村和雄先生（中央）

連絡をするんです。

「おい、富樫。井手口がいいチームを作っているぞ」

中村さんに初めて会ったのは、私が中村学園女子にいるときです。当時、中村さんは共同石油（現・ENEOSサンフラワーズ）の監督をされていました。中村学園女子と共同石油の接点はなかったんですけど、中村学園女子と三井生命（2001年までWリーグに属していたチーム）とは接点があって、合宿に行っていた。三井生命の練習場は共同石油と同じ千葉県柏市にありましたから、私はスタッフの1人と連れだって、共同石油の練習を見学させてもらったんです。それが中村さんに会った最初です。

その後、1996年に三重県でおこなわれた「全国中学校バスケットボール大会」に、富樫が新潟市立木崎中を率いて出場するというので連絡があったんです。「おい、井手口。俺、全中で日本一になるから、見に来いよ」。私は福岡第一に移って3年目でしたし、後輩が指導している福岡県の中学校も出場していたので、応援がてら見に行ったんです。当時、中村さんは新潟県のアドバイザー的な事もされていましたから、そこで富樫に紹介してもらったんです。

その中村さんが富樫に「井手口がいいチームを作っているぞ」と伝えたこともあって、2002年、新潟県から2人の子が来るんです。本丸中の田中利明と、猿橋中の近忍《こんしのぶ》です。その後、本丸中から新潟商業に進んだ竹内尚紀も転校してくるのですが、まずは初めての県外生は新潟出身の2人でした。

田中と近、さらに福岡県のジュニアオールスターでキャプテンを務めた竹野修平も入学してきて、私としては意気揚々です。福岡県の子たちだけでは日本一は難しいと感じていたところに、新潟県の子たちが入ってきてくれた。竹野も入ってきて、これでさらに強いチームが作れる。デイブさんもわざわざアメリカから福岡まで来てくれて、クリニックをしてくれました。これでいけると思って、1年生の田中、近、竹野を起用したんです。そうしたらインターハイを逃してしまった。つくづくバカだな、俺は……。そう思いましたね。そう簡単に強いチームが作れるわけはないんです。

その翌年、2003年から留学生を受け入れ始めました。

福岡第一は早い段階から留学生教育をおこなっていた学校です。日本語を学ぶために海外から短期留学をしてくる子どもを受け入れていましたし、「日本語準備クラス」という留学生を受け入れるクラスもあるんです。英語だけでなく、フランス語や中国語を話せる先生もいます。そのため、さまざまなクラブに留学生がいたんですね。サッカー、野球、女子バスケットにもいました。私もインターハイに出始めた頃から校長に「男子バスケット部も留学生を入れていいわよ」と言われていたんです。さらに言えば「寮もあるんだから、県外生を取ってもいいわよ」とも。でも当時の私は「寮なんて必要ありません。福岡県の子だけで勝負しますから」なんて粋がっていました。

それを変えたのは、私が初めて県外生を受け入れた2002年でした。長崎女子(長崎)が、翌2003年に地元でおこなわれるインターハイに向けて、留学生を受け入れることにしたんです。慶誠(熊本)や延岡学園(宮崎)も合わせて受け入れることにした。そのとき長崎女子の山崎純男先生から「井手口、おまえもどうだ?」と声をかけられたんです。

前年のインターハイで北陸に負けたこともあり、このままでは日本一は難しいと感じていた時期でもあったので、校長に「留学生を入れたいんですけど……」と言ったら、すぐに「いいわよ」と。

当初、山崎先生はアメリカからの留学生を考えていたようです。ただバスケットの本場であるアメリカから日本に来る留学生は少なくて、どうしようかとなったときに、当時オーエスジーフェニックス（現・三遠ネオフェニックス）のヘッドコーチをしていた中村さんが、同チームにいるセネガル人選手を紹介してくれたんです。のちにNBAでもプレーするドンゴ・ヌジャイです。ドンゴに話をすると「先生、セネガルにはたくさんいい素材がいるよ。能力もある。ただ学校も行けない子もたくさんいるんだ。それでも大丈夫？」と言うんです。「うちの学校は大丈夫だと思うよ」と伝えました。中村さんが間に入ったのはそこだけです。あとはすべて山崎先生がいろんなことを教えてくれました。手続きはこうしなさい、こういう書類が必要だ、お金はこれくらいかかる……お金に関しては福岡第一と延岡学園、長崎女子、慶誠の4校がすべて同じにしよう。どこか1校だけが多く謝礼を支払ったりするのはやめよう。みんなでそろえて、ほかに何か必要なことがあれば4校で割ろう。そんなふうにまとめてくださったんです。

話は逸れますが、よく私たちが中村さんにお金を支払って、留学生を斡旋してもらっているんじゃないかなんて言われますけど、そうではありません。中村さんにはドンゴを紹介してもらっただけです。そもそもお金を受け取るような人でもありませんから。

のちに、そのときの留学生、ディアン・ティエルノ・セイドゥ・ヌロ（以下、ティアノ）が年齢詐称を疑われて、結果的にインターハイの優勝を取り消されたときも、多くの人が中村さんに話を聞きに行ったそうです。そのたびに中村さんは「いや、バスケットの仲間だからやるってことを、あなたたちは知らないの？　もちろんお金をもらってやる人もいるだろうけど、仲間だからサポートするってこともあるんだぞ」と言ったそうです。でもなかなか理解してもらえなかったそうです。「井手口、誰も話を聞いてくれなかった。だいたい、俺がおまえからお金なんてもらえるかよ」って、そんな話をしたことを覚えています。

そうして留学生を迎え入れたわけですが、するといろんな学校が練習試合をしてくれなくなりました。延岡学園が関東でおこなわれるカップ戦に出場したときは、相手チームがスタメンを出してこなかったそうです。それを中村さんに話すと「じゃあ、いい。俺たちだけでやろう」と言って始まったのが、オーエスジーの主催する「フェニックスカップ」です。それが巡り巡って、今も毎年春におこなわれる「カズカップ」に発展しています。

留学生を受け入れることは決して簡単なことではありません。もちろん学校が許可してくれるからこそ受け入れられるんですけど、最初は心配もしました。

新潟県の子たちが来たときでさえ、妻と日本地図を見ながら「あんな遠くから来るんだぞ。お米とか水とか大丈夫かな？　新潟のお米と水はうまいけど、寮のはまずいぞ」と話していたほどです。それがセネガルからとなると「新潟なんて関門海峡さえ渡れば、あとは陸続きじゃないか。歩いて帰れる。でもセネガルは帰れないぞ」

当初、受け入れる留学生は1人の予定でした。長崎女子も、慶誠も、延岡学園も1人でしたので、私もそれに倣ったんです。そうしたら校長にピシャリと言われました。

「あんたね、全然わからん国に、よく1人で来させられるね？　あんたが1人でセネガルに行って、生活できるね？　しかも15歳、16歳の高校生で。できんやろ？　2人にしなさい」

それで福岡第一だけ2人になったんです。

他の3校の留学生はそれぞれ1人ですから、ホームシックにかかるんです。そうすると福岡第一に呼んで、寮に泊めたり、バスケット部でバーベキューをするときも呼んだりしていました。

2人のうち先に決まったのがサー・パパ・ブーバカーです。あとで決まったのがティアノです。結果的にそのティアノが問題になってしまった。ただティアノが来なければ勝てなかったかもしれないし、留学生が悪者扱いされることはなかったかもしれません。

それでも今も校長の当時の判断は正しかったと思っています。２０２1年も5人の留学生がいますが（2人の新入生は、新型コロナウィルスの影響でまだ入国が認められていませんが）、彼らだって3年間のうちに必ずケガをするんです。必ずです。どこの留学生もそうです。なぜならどこの国の高校生も、日本の高校ほどは練習をしないからです。もしかしたら元々痛めていた可能性もある。医療体制が十分ではない国から来ることもありますし、プロではないので、入学前にメディカルチェックをするわけでもない。だからやはり複数の留学生がいることが、これは試合の勝ち負けという視点だけではなく、彼らにとっても心強いわけです。

ティアノとサーは私にとって初めての留学生ですから、いろんな苦労をしました。「ご飯が食べられない」と言うから、「どうしたら食べられる？」と聞いたら、「ケチャップをかけたら食べられる」と言うので、すぐに山ほどのケチャップを買いに行きました。イスラム教で豚肉が食べられないって言えば、ケンタッキーフライドチキンに連れて行ったこともあります。甘やかしてはいけないと思いながら、やはりどこかで甘やかしていたかもしれません。3年生くらいになると授業に出ないで、寮で寝ていたってこともありました。練習では日本人と同じくらい厳しくしたつもりですけど、教育的な面では失敗したところもあったかもしれません。

そんな時期もありましたけど、今は1学年に1人くらいがいいと思っていますし、彼らがいることが普通の光景になっていますね。1人くらいがいいと言いながら、2020年も、2021年も、事情があって2人ずつ受け入れているのですが……。

私は留学生をいわゆる〝助っ人〟的には考えていません。もちろん日本人の足りないところを彼らが補っているわけですが、扱いは公平です。なかには、日本体育大に進学したバム・アンゲイ・ジョナサンのようにキャプテンにしようかと思った子もいます。そう思わせるくらい練習から声を出していました。下級生の時からおかしいくらい声を出していたんです。

バムはまとまった休みの際も寮に残って練習していました。こちらが「帰省してもいいぞ」と言っても帰らない。帰省していいよと言って「帰らない」と言った留学生は彼が初めてです。「何で?」と聞くと「ママも帰ってこなくていいって……そんな時間があったら勉強と練習をしなさいって言うんだ」。バムは一人っ子なんです。しかもお母さんだけの母子家庭。だから帰らないとお母さんが寂しくて仕方ないだろうと言っても、「ママが帰ってくるなって言うから」と。コンゴ民主共和国の子でしたけど、日本人よりも大和魂を持った留学生でしたね。

## 留学生を受け入れる覚悟

留学生を受け入れた時点で、私の指導者としての歩みは止まったと思っています。それはやはり2001年のインターハイに遡るんです。あのとき北陸に負けて3回戦で終わったわけですけど、力のない選手たちで勝つことが一番評価されるわけです。その一方で、力のある選手が来るってことは、リクルートも含めて大変なことなんです。いい指導者じゃなければ来ないわけですから。では、いい指導者って何か? 多くの人は勝った指導者がいい指導者だと思うわけです。すると、今度はいい選手がいれば勝って当たり前だと思われる。

留学生ではありませんが、2019年は「河村勇輝（東海大学）がいるから勝つのは当たり前だろう」とよく言われました。ん？　河村がいたら勝つのは当たり前？　今でも疑問に思います。では誰が河村をスカウトしたんでしょう？　私以外の誰も本気で河村をスカウトに行っていないんです。後述しますが、私も河村が第一希望ではなかった。でも結果を見ると、河村がいたら勝てるよねという話になるんです。

ましてや留学生を入れたってことは、勝って当たり前と思われることになります。私の指導力云々ではなく、まずはチームを勝たせることが最優先になってきます。だから彼らを受け入れたときから、優勝しなければ評価されないということを受け入れる覚悟を持っています。

それは中村学園女子のときから思っていたことでもあります。韓国人留学生を受け入れて日本一になったとき、最初に「なんや、それ？」と言ったのは父でした。「日本にはいい選手がいっぱいおるのに、韓国の選手を入れんと勝てんとや？」と、父から言われたんです。そのときはムカッとしましたけど、留学生を受け入れるというのはそうした意見も受け入れるという覚悟でやらなければいけないと思っています。

## 福岡第一のバスケットがわずかに見えてきた

留学生を受け入れてからの主な結果は以下の通りです。

２００４年　島根インターハイ優勝（のちに返納）、ウインターカップ初出場
２００５年　千葉インターハイベスト４、ウインターカップ優勝
２００７年　佐賀インターハイベスト４、ウインターカップ準優勝
２００８年　埼玉インターハイ準優勝、ウインターカップ準優勝
２００９年　近畿インターハイ優勝　ウインターカップ準優勝
２０１０年　沖縄インターハイベスト８、ウインターカップ準優勝
２０１１年　北東北インターハイ準優勝
２０１２年　北信越インターハイベスト８
２０１５年　京都インターハイベスト８
２０１６年　広島インターハイ優勝、ウインターカップ優勝
２０１７年　福島インターハイベスト４、ウインターカップ４位
２０１８年　ウインターカップ優勝
２０１９年　鹿児島インターハイ優勝、ウインターカップ優勝

## 2020年　ウインターカップベスト8

決して順風満帆だったわけではありませんが、それでも2009年あたりまではそれなりの結果も出せていました。

ただ2010年から2014年までは私がアンダーカテゴリー日本代表のコーチを務めていたこともあって、チームをうまく見られなかった。見られなかったというより、選手たちに消化不良を起こさせてしまいました。日本代表でアジアや世界の国々と戦おうとすると、新しい情報が入ってくるんです。たとえばニュージーランドのオフェンスはこうだとか、中国はこうだとか。そうした世界の最新情報をかじると、ついそれを教えたくなる。チームに戻って「これをやってみよう……おお、いいじゃないか。うまくいったな」と。でもそのバスケットは私のものではないし、少し練習したくらいでは選手たちも身につかないんです。そういう失敗もあって、思ったような結果が出せなくなっていきました。

転機はやはり日本代表のコーチを退いてからです。ちょうど重富友希・周希が入学してきて、彼らが2年生のときにインターハイ(2015年)でベスト8まで戻ることができたんです。そのときくらいから私自身も、もう一度シンプルな考え方に戻れました。デイブさんから教わってきたことや、中村さんにも年に1回くらい来てもらって、そこで学んだものを取り入れたりして、自分自身が「これでいいよな」と思うバスケットが確立できてきたように思います。

しかし、重富兄弟が卒業した年は、違う側面から消化不良を起こしました。日本体育大に進んだ井手拓実と、拓殖大に進んだ小野絢喜がツーガードをやっていたときです。

4月当初から河村と小川麻斗(日本体育大学)がいいのではないかと思い始めていたんです。しかし彼らはまだ1年生。身体もできていないし、高校バスケットのフィジカルコンタクトについてこられるのかという恐怖がありました。やはり最後は3年生だよなという思いもありました。実際に九州大会では井手と小野

2019年は最初に決めたスタメン5人で最後までやりきった

のコンビがよかったんです。スピードも出てきて、チームとしても上向いてきていた。しかしインターハイの準決勝で明成(現・仙台大学附属明成)に負けてしまうんです。

それを消化不良というのは、中途半端に河村と小川を使ってしまったことです。最初から彼らを起用する決断ができれば、インターハイはベスト8くらいで終わっていたかもしれないけど、ウインターカップの準決勝で福岡大学附属大濠に負けなかったかもしれません。実際、県大会で大濠と対戦したときも河村と小川が出ている時間帯は勝っているんです。そこで3年生2人に戻したら、ひっくり返される。周りの人たちは「なんで代えたの?」と思ったはずです。「1年生2人の方がいいんじゃないか」。でも私自身が2人同時に使い切る決断ができなかった。ウインターカップは河村をスタメンに起用して、小川は控えにしました。肝心なところで、福岡第一バスケットの根幹ともいうべきガードのところで私自身がぶれてしまった。

その経験があったから、次の年からはぶれなくなりました。さらに翌年の2019年、河村たちが3年生になったときは最初にスタメンを決めて、最後までその5人でやりきりました。スタメン5人のハーモニーというか、あうんの呼吸を大事にしたんです。それぞれのポジションのバックアップが誰で、この子をこう入れ換えてと考えるのではなく、スタメンがしっかりしていることを重視して、よりスタメンへの思いを強くしてきましたね。

それはやはり井手たちの代の、もしかしたら勝ったかもしれない、裏を返せば負けて当然だったのかもしれないという思いに返ります。あの年はインターハイが大濠、国体が京都府、ウインターカップが明成と、大会ごとに優勝チームが異なりました。つまりどこが勝ってもおかしくなかったわけです。もし2019年のようなチームを作れていたら、私たちが全部勝っていたかもしれない。もちろん勝負に「たられば」はないわけですが、そこに持ち込めなかったのは私の決断力のなさだったと思っています。

私も学校の先生ですから、いろんなことを考えてしまいます。つい3年生の立場を考えてみたりもする。でもその3年生が思っていたより周りに信頼されていなかったと、あとからわかることがあります。いくら毎日一緒にいても、やはり私たちには見えない子どもたちの関係性があります。私たち高校バスケットのチーム作りは、プロとは異なり毎年選手が入れ替わります。それは難しいことでもあるんですけど、面白いところでもあるんです。

# 第3章 子どもたちに教え導くものとして

## 大好きなバスケットを腹一杯にする

福岡第一・男子バスケット部は2021年で創部28年目を迎えます。パラマ塾から始まったチームですが、私が彼らを引き受けようと思ったのは、バスケットを好きな子たちがいて、福岡第一という学校もそんな彼らに腹一杯バスケットをさせてあげられる環境があるからでした。制限は少ないんです。体育館も今では男子バスケット部だけで2面を使えますし、練習時間も、やろうと思えば、ある程度遅くまでやることもできます。

私が高校生のときはそういうことができない環境でした。コーチもいないし、下校時間も決められている。試験期間中に練習をするなんてもってのほかでした。

しかし福岡第一という学校は「第一義諦」——誰もが持つ個性、他の人が真似できない優れた資質や美点、長所や特技を伸ばして、得意なこと、好きなことを生涯にわたって磨いていくことをポリシーにしています。

バスケットもそうです。好きなものを徹底的にやるなかで、将来への自信を磨き、そこからオールラウンダーになっていく。広く、浅く学んで、将来につなげていく方法もあります。しかし高校生くらいの時期に何かひとつのものを根詰めてやることで、次の何かが見えてくることもあります。そういう3年間にしてあげられるのかなと思って、指導しています。

15歳から18歳までの3年間は、子どもから大人に変わっていく3年間でもあります。いろんなものに最も影響を受ける3年間とも言えるので、その期間をいい関係で携われたら、私としてもとてもうれしいわけです。彼らが高校時代を振り返ったときに「あの3年間があったから」と言ってもらえるような3年間になればいい。かっこつけすぎかもしれませんが、本当にそう思うんです。

私自身は高校生のときにバスケットの指導者に恵まれませんでした。ただ担任の先生にはとても恵まれました。一般的に高校の部活動の監督と選手の関係は一生続きますよね。私にとってのそれは担任の先生でした。成人してからは一緒に飲みに行ったり、旅行に行ったこともあります。そういう実体験があるから、私はバスケット部の「監督」ですが、「先生」の部分がどうしても消えないんです。大人になる直前の子どもたちだからこそ、「先生」という大人との関わり方がとても大事になってくると考えています。

## 勝つことも育てることも指導者の役割

近年、育成年代の指導は勝つためにやっているのか、それとも選手を育てるためにやっているのか、という論争があります。私に言わせれば両方です。そもそも「育てるため」って何でしょうか？　それを吹聴する人の考えとして、最たる例は１９０センチの子をガードポジションに持ってくることだと思います。それで負けたとしても、この190センチの子をポイントガードにしたからよいと言うのでしょうか？　小さい選手を使わずに、大きい選手をたくさん使って、日本代表選手をたくさん育てましたと言うのでしょうか？　でもそういう子は何をやったって日本代表になるはずです。あまり私たちのような指導者が偉そうに構えなくていいと思います。日本代表になる子は誰が教えても日本代表になる。それが私の考え方です。

しかもそうした選手を育てると、「○○選手を育てた人」としてメディアに取り上げられる。しかし、八村塁くん（NBA／ワシントン・ウィザーズ）の母校、仙台大学附属明成の佐藤久夫監督はあまり表に出ませんよね。むしろ嫌がります。八村くんが持っている素材は、誰が教えても八村くんです。ただ八村くんの心を強く育てられたのは佐藤監督だけです。それがなかったら、あそこまでの選手にはなっていなかったと思います。B・LEAGUEの選手にはなっていたかもしれませんが、NBA選手にはなれていないと思います。そのことをどれだけの人がわかっているか。佐藤監督はそれがわかっているし、それが佐藤監督にとっては当たり前なんです。来た生徒はどんな生徒でも――八村くんだろうが、誰だろうが、きちんと卒業させていくわけです。もちろん途中でうまくいかなくて辞めた子もいるだろうけど、ベースはそこにあるんです。

中途半端な指導者であれば「俺が八村塁を育てた」と一生言い続けるでしょう。でも、その指導者でなければ、もっとすごい選手になったかもしれません。たとえば教え子にB・LEAGUEでプレーしている選手や日本代表の選手がいるとします。でも、その指導者があなたじゃなければ、彼らは今頃アメリカやヨーロッパでプレーできていたかもしれない。成功していると思われるかもしれないけど、もっと上に行けたかもしれないんです。指導者はすべからくそう思うべきだと思います。

また中学の指導者に多いのが、「この子はチームで一番身長が高いけど、将来のことを考えて、ガードとしてプレーさせているんです」と言う人。いや、センターをやらせたっていいじゃないか。センターでも、たくさんボールを触らせればいいんだから。それができなくても、チームとは別にドリブル練習などをしていればいいわけであって、一番大きな子をわざわざ外に出して、試合に負けて、それでよい指導者と言えるのでしょうか。バスケットボールという競技はみんなで協力して勝つスポーツです。もちろんチームで一番身長の高い選手が外のプレーをしてもいい。でも必ずリバウンドには行こう。そういう選手であってほしいと思っています。

しかもそういう指導者に限って、ほとんどディフェンスを鍛えられていません。2メートル以上あっても、今は誰もが3ポイントシュートを打てます。ドリブルだってうまくつけるんです。特別なことではありません。しかし、その子たちのバスケットIQを高めて、190センチくらいの子に這いつくばるようなディフェンスを教えているかというとそうじゃない。そこが歯がゆいところです。

## 学校の部活動であること

学校の部活動を指導していると、いろんな子が入部してきます。190センチを超す子もいれば、170センチに満たない小さい子もいます。勉強が得意な子がいれば、そうでない子もいます。かつてに比べたら大きく減りましたが、私に食って掛かるような子もいます。一般的には、そういう子がいるとチームの和を乱すんじゃないかと思われるかもしれません。しかしかつての福岡第一はそういう子たちばかりでした。だから私もさほど苦ではないんです。

私自身、いろんな子どもたちを見てきました。クラス担任もしましたし、生徒指導部長もしました。当時は大変でした。毎日、何が起こるかわからないんです。バスケット以外でもいろんな親と渡り合ってきました。バスケット部の〝ヤンチャ〟な子なんてかわいいほうです。学校での仕事が役に立っているから、そう思えるのでしょう。

私の指導者としてのベースは「辞めさせない」です。もちろん辞めていった子がゼロではありませんが、いったん預かった子は、少なくとも卒業させる。これが最低限のノルマだと思っています。なかには問題を起こす子もいるし、些細なことで落ち込んでしまう子もいます。そういう子たちでさえ受け入れられる器は、福岡第一にはあると思っています。

実際の現場ではそういう子を嫌がる先生もたくさんいます。チームのことだけを考えたら、みんながが品行方正であることが日本のスポーツの基準みたいになっていますから。だけど私はそうは思わなくて、いろんな子がいていいいと思っているんです。クラスでも担任の先生は「手のかかる子がいて嫌だ」って言うけれども、だから「お前の仕事があろうが」、「お前の出番があろうが」と思うんです。私自身もバスケット部にヤンチャな子が入ってきたら、こう思うようにしているんです。「よし、俺の仕事ができた」

それは私の高校時代に戻りますが、私たちの担任がまさにそうでした。私たちのような子は学校を辞めようが、どうなろうがほったらかしておけばいいのに、放っておかなかった。放っておけなかった人のおかげで今の私があるんです。

こんな話を今の若い先生にしても耳に入っていきません。だからそうした話はあまりしません。教頭をしているときも「教頭先生、この子が辞めたいって言っています」と退学届けを持ってきたら、「大変やったね」、「はい、本当に言うことを聞かなくて……」、「そうね、しょうがないね」とハンコを押していました。でも言い方は悪いけど、「もし俺が担任をしていたら、この子は続いていたかもしれないな」と思うわけです。その先生の人としての器、広さではその子を受け入れられないんだなと。もちろん生徒が悪いこともあります。でも生徒だけが悪いんじゃないよと言いたいわけです。何かきっかけがあったはずだと。

逆に中学では不登校だった子が、高校になったら環境が変わって、毎日学校に出てくるようになったケースもあります。そういう子が出てきたら、「私が担任をしたから、彼は変わりました」と言う先生が出てくる。でも、きっとそれは先生の力じゃなくて、いい友だちがいたからなんです。自分の手柄みたいに言う先生もいるけど、そうじゃない。馬の合う子がいたから学校に来るようになったっていう子が多いんです。こうした感覚は教員をやっていたからこそわかることです。

必ずしも私の考えていることが正しいかどうかはわかりません。だから若い先生に教えられないもどかしさもあります。バスケットのように目に見える結果が出ていれば、こういうやり方をして日本一になれたから「このやり方でいいっちゃないと?」と言えるでしょう。しかし教員という仕事は形としての結果がありません。「それは先生の考え方でしょう?」で終わってしまう。つまらないから、あまり自分からは話しません。聞かせてほしいと言われれば話しますが。

今の福岡第一にいる先生たちも「井手口先生はバスケットばかりをしている、ただのバスケバカだ」としか思っていないでしょう。こういう世の中で、校長(理事長)先生からかわいがられて、贅沢にバスケットをやれている人だ、くらいにしか思っていない。来た当初の苦労なんて誰も知りませんから。

福岡県内の人もそうです。福岡第一のバスケット部は恒常的に全国でも強豪のチームだと思っているんです。立ち上げのころを知っている人が減ってきているわけです。福岡大学附属大濠の片峯聡太監督が中学生のころには、すでにある程度チームとしての形ができつつありました。それ以前の福岡第一なんて、彼でさえ知らないんです。でも私のベースは常にそこにあるんです。

## 謙虚でいることの大切さ

福岡第一のキャプテンは私の指名ではなく、子どもたち自身で決めています。私が指名すると間違えそうだからです。これだけ長く監督をやっていても、そう思います。むしろ指導者には長年の経験を過信しないほうがいいと伝えたい。自分には能力がないと思えばいいんです。能力がないから、いろんな人の意見を聞いてやろうと思えばいい。主体性がないのとは違います。いろんなものを参考にしようと考える。力がないのに、自分は能力があると錯覚している人が一番困ります。

昔の日本軍みたいなものです。ミスリードをして、結局多くの国民を死に導いていったわけでしょう？　一日でも早く「いや、勝負しても負けるぞ。やめようや」と言ってくれたらよかったんです。「あまり損が出ないように降参する方法はないかな？」と相談すればよかったんです。極端な例ですけど、そこで勝てると過信したから、あれだけ多くの犠牲者を出した。もちろんそれで日本は変わることができたのですが……。

40代後半の人たちは、特にそういう人が多いですよ。そういう世代だそうです。あなたのその自信は一体どこから来るの？　と思ってしまう。何もやり遂げたことがない、言い方は悪いけど、たまたま運よく役職に就いた感じでしょう？

私は今「校長代理」という立場ですが、分はわきまえているつもりです。バスケットで勝ったから、ご褒美としての管理職です。私学にはたまにそういうことがあるんです。もうひとつは、子どもたちをまとめているから、学校でもまとめる役割をしなさいという管理職なんです。

その程度です。出しゃばる必要はありません。俺が学校を任された、俺が学校を動かしているなんて思ってしまうと、大変なことになります。先生のなかにはそうした考えを持つ人が多くて、たいていは悪い方向に陥っていく。しかも学校の中だけでしか生きていなくて、対象はすべて自分よりも年下。大学を出て、23歳から「先生」と呼ばれ、言うことを聞くしかないという生徒がほとんどです。教科書だけを勉強して、毎年同じようなことをやって、テストの点数を取れなかったら「お前が勉強してなかったからだ」と言えばいい。先生と呼ばれる人は考え方を改めたほうがいいですね。

私がそうならなかったのは、自分のことを一番わかっているからです。たまたまいい選手が来てくれたから勝てたんです。もちろん、いい選手が来てくれるようになったのは、結果も含めていろいろ理由があったからでしょう。全国大会で勝ったメリットはそれくらいじゃないでしょうか。世の中には私よりももっと頑張っている指導者がたくさんいると思います。ただ、結果だけで見れば、私より頑張っていても勝てないことはある。選手の能力にはやはり限界がありますから。２０００年ころ、あれだけ練習をして、あれだけ努力もしたのに、北陸高校の中国人センターに踏みつぶされて負けたのは、限界を示すひとつの証明だと思うんです。

私自身もバスケットを好きで始めただけで、高校も大学も受験して、誰からリクルートされたわけでもありません。初めて勤めた学校でもなんとかバスケットをやらせてもらった感じです。自分勝手に学校を代えたけど、そこでも何かが用意されていたわけではなかった。「あんた、これをしなさいよ」じゃなくて、「どうしようかな?」と思いながらやってきただけです。つまりエリートたちとは真逆なんです。

「雑草」なんて言えばかっこよく聞こえるかもしれません。実際に福岡第一・男子バスケット部の会報誌は『雑草魂』というタイトルです。ただ、そこにはしっかりと張った根があります。いや、私の場合は雑草というより「雑食」に近いかな。実際の食べ物には好き嫌いがあって、納豆なんて体にいいとわかっていても絶対に食べません。見たことのない食べ物にもいっさい手を出しません。でも、ことバスケットに関しては雑食です。まず〝食べて〟みる。それから使えるか、使えないかを判断する。選手もそうかもしれません。とりあえず預かってみて、そのうえでよくなった、ダメだったと判断する。ダメだったからといって、辞めさせたりはしません。そこは先ほども言ったとおり、私のベースにあるところです。

育てられないのに預かるのは罪じゃないかと批判する人もいます。試合に出られないのに何十人も——2021年には100人も預かって、「飼い殺しじゃないか」なんて言う人もいます。でも福岡第一には上手じゃない子、バスケットが好きなだけっていう子もたくさんいるので、必ずしもそうとは思っていません。

## コート以外のこと：勉強

少し熱くなったので、クールダウンの意味も込めて、コート外の話をしましょう。

高校バスケットの選手たちは文字どおり高校生ですから、勉強も大事です。ただ勉強は授業ですればいいというのが私の考え方です。学生のみなさん、授業はしっかり受けましょう。

私は2020年から「校長代理」という立場になりましたから、授業がないんです。だから授業中に巡回するのですが、なかにはバスケット部の生徒で寝ている子もいます。それを見つけたら、その日の練習では相当厳しく指導します。もちろん暴力・体罰的な厳しさではありません。でも練習から外されることはある。朝練習に遅刻することと同じです。だって授業で寝るってことは、もちろん寝させる先生も悪いけれども、寝る行為については取り立てて大事《おおごと》にしなければいけないからです。

一方で、我がチームには受験で大学進学を目指す子もいます。そういう子には練習をさせずに、勉強させることもあります。私はバスケット部の監督ですが、子どもたちをバスケットの練習に縛りつけたいわけではないんです。ただせっかく福岡第一のバスケット部を選んで来たのだったら、遊ばんでもいいだろうと。遊ぶことは大学に入ってからでもできます。彼女と遊びたい。カラオケに行きたい。子どもたちのレベルで楽しいことはたくさんありますが、それは地元の高校に行けばできたことです。でも彼らは自分の意志で福岡第一を選んできた。そんな遊びをしなくても、福岡第一では好きなだけシューティングができるんです。定期試験中でも練習していいんです。

河村勇輝の代に田邊俊輔という子がいました。彼は一般受験で慶應義塾、早稲田、明治、法政……志望していた大学にすべて合格しました。8打数8安打です。全勝。その年のチームも全勝だったけど、彼も全勝でした。私は田邊に「河村よりもお前が一番偉い」と言いました。彼はインターハイまで河村たちと一緒に練習をしていたんです。インターハイが終わって、本人が「先生、受験勉強を始めてもいいですか？」と言ってきたから「おお、お前は勉強しなさい」と返しました。むしろ遅いくらいです。中学時代はジュニアオールスターの福岡県選抜にも選ばれていた子です。福岡第一ではベンチに入ることができなかったけれども、彼は福岡第一のバスケットを全うして、大学にすべて合格しているんです。

もっと以前、私がまだ体育の授業を持っているときに田邊のような子がいたら、私の授業、つまり体育はさせないで、教室で勉強しろと言っていたでしょう。「お前はこの1時間、体育するより勉強したほうが絶対にいい」。言い方は悪いかもしれませんが、部活動で十分「体育」をしているから、あえてここでバレーボールをしなくてもいいだろう。確かにバレーボールの授業も意味があるものだし、楽しいと思います。けれども、キミは勉強をしなさい。そうさせたこともあります。

定期試験が近くなると、シューティングをしている子と、ステージ上に机を並べて、勉強している子が混在することもあります。部活動であっても勉強の場は提供できるんです。寮に帰るといろんな誘惑があるから、だったら体育館でやればいい。アシスタントコーチの安田真也先生は国語の先生だから、受験で小論文が必要な子には夏くらいから安田先生をつけたりもしています。

何が言いたいかというと、大切なことは勉強でも、バスケットでも、最後は自分の人生をどうするかです。怠けたら、怠けただけのものしか返ってきません。そのことを子どもたちに伝えたいのです。

## コート以外のこと：掃除

福岡第一・男子バスケット部は、創部当初から体育館の掃除をしています。全国制覇を経験してもそれは変わりません。子どもたちにとっても当たり前になってきています。彼らがやらなければ誰も掃除しませんから。福岡第一には体育館の掃除当番がないんです。学校によってはクラスにそうした割り当てがあるのかもしれませんが、ウチにはありません。だからバスケット部が掃除をする。

子どもたちにも「きれいなほうが、練習するときに気持ちよかろうが」と言っています。

もちろん留学生も一緒です。以前、栃木県の中学生のクラブチームが練習試合に来たとき、そこのコーチが「今、留学生がトイレ掃除をしていました」とちょっと意外そうに言ってきました。「そう？たまたまトイレ掃除の当番だったんじゃない？」。私はそう返しましたが、珍しいことでしょうか？1年生だけが掃除をするとか、1年生だけが練習の準備をするという学校は今もあるのかな。でも帝京大学のラグビー部は4年生が練習の準備をやるそうです。1、2年生は授業が多くて余裕がないから、余裕のある4年生が準備をする。そういうのはいいなと思っています。

もちろんウチでも放っておいたら下級生しかやっていないときがあります。3年生がやっていない。だから私が早く来なければいけないんです。私がいれば、3年生もやらなければいけませんから。私がいなくてもきちんとやるのが一番いいんでしょうけど、やはりシューティングや個人練習と同じで、見ていたほうがちゃんとやります。

## 子どもたちの心を生かす

私たちが使っている体育館には教官室が2つあります。一つは私専用で、もう一つは安田と武藤海斗という若いアシスタントコーチが使っています。体育館のコートに直接つながる部屋を私専用の教官室にしているのは、生徒がしょっちゅう出入りするからです。そうすると軽い感覚で生徒たちと話せるんです。若い先生たちには階段を昇った上の部屋を使ってもらっています。

子どもたちとそうした些細なコミュニケーションをとるようになったのも、最近のことです。生徒との年齢が離れてきただけでなく、彼らのお父さんやお母さんの年齢さえも越えたので、今の子どもたちの考えていることがよくわからないんです。自分の子どもの年齢くらいまではまだついていけていました。今はそれよりも明らかに下になっているから、彼らとしゃべるシーンを積極的に作らないと、ついていけないと思うんです。

そうしなければ、一日中、私とまったく喋らない子も出てきます。特にBチームより下の子たちはそうなりやすい。「おはよう」、「さよなら」だけでも喋れればいいなと思っています。そうしないと信頼関係が構築できません。

指導者だってヒューッと来て、ヒューッと帰るのが楽でいいんです。「おい、これをやっておけよ」と言ったら、すべてを彼らがやってくれるのが一番楽なのですが、今の私にはそれができません。昔は「お前らでやっておけよ」と言っていました。個人練習も、以前は私がいないほうがいいんじゃないか、彼ら自身でやらせたほうがよりのびのびできるんじゃないかと思っていました。でもやはり指導者が見ていたほうがいいんだ、彼らとわずかでもしゃべったほうがいいんだと思うようになりましたね。

もちろん私も失敗をしてきました。むしろ失敗だらけ、後悔ばかりと言っていい。

若いときは、失敗したこと自体はわかっているけど、自分を曲げたくないから、つい言い訳をしてしまうものです。失敗したら「ごめんなさい」と謝ったり、「こう思ったけど、違ったね。やり直そう」と、いい方向にやり直せばいいのに、失敗だとバレないように修正しようと無理を重ねるから、ひずみが出てダメになるんです。そうしたケースはたくさんありました。今は平気で撤回できますね。「ああ、間違っとったね。やり直し。こうしよう！」と言うことが恥ずかしくなくなってきました。それは私自身が指導の機微をわかってきたとも言えます。

昔はガンガン突き進んでいました。何か悪いところを見つけたらすぐに怒らなければいけない。たとえば朝寝坊をして、朝練に遅れてくる子がいたとします。それを見つけたら怒っていました。でもそれってどうなのだろうか。そう考えたとき、じゃあ、見ないほうがいいのかなと思った時期もありました。今は違います。うまくクッションを使いながら、要所で叱る。生徒に対して頭に来ているんだけど、怒らないこともできるようになりました。

いや、遅刻に対して怒ることは一緒なんだけど、見つけたら「はい、お前は今から掃除」とだけ告げて、放課後の練習は「頑張れ」と言う。その日の放課後の練習の出来がよくないと「ほら、朝寝坊する奴はこんなふうになるんだよ」とチクリと注意できる。教室回りをしているときに寝ている子がいたら、練習の中で必ず「なんだ、授業中に寝てるからプレーでも寝てるんじゃねえか？」と皮肉を言ってみたりする。教室でお菓子を食べている子がいて、その子が骨を折ったら「見てみろ、教室でお菓子ばかり食ってるから骨折するんだろうが」と言えば、ぐうの音も出ないんです。昔のように「てめぇ、この野郎」とか、「バカヤロウ」なんて一言も言っていないわけですよね。これからはそういう叱り方だと思っています。年を取って迫力もなくなってきたし、取っ組み合いのケンカをしたら間違いなく彼らに負けますから(笑)。

つまり怒り方ひとつも変えられるようになったということです。間違いを犯した子に優しく接して、周りの子どもたちが「なんだよ、井手口先生、あいつをひいきしているな」と思われないような言い方もできるようになってきました。

あるときランニング系のドリルで一人の子が途中でダウンしたんです。1日目もダメで、2日目もやりきれなかった。昔の私だったら「もういい。やめちゃえ」と言っていたでしょう。今は逆に彼をこのまま続けさせると余計に自信をなくさせてしまうと思ったから、みんなを集めて「みんなであいつの自信を取り戻させるようなことをしなきゃ」と言ったりもします。

その2日後、同じような走る練習をしたとき、彼がそれをやりきったんです。といっても、実はやり方を変えていました。少し楽なやり方にしていたんです。それを最後までやりきって、「よし、乗り越えた」と思わせる方法も心得てきています。

その子は一人っ子の甘えん坊だから、そうしてあげないとダメだろうとは思っていたんです。ただ戦力しては相当な力を持っていて、3年生になったらスタートで起用しようと考えている子でした。だからといって、その子に何も言わずに起用していると、周りから「ええ、あいつ、この間の練習でダウンしてたやん。普通だったら先生は怒って使わないのに、なんで……ああ、そうか、あいつには甘いんだ」と思われるわけです。だから、2日後の練習で修正しておけば、スタートで使っても違和感がなくなるんです。

つまりは配慮ですよね。今まではこうした子どもたちに対する配慮をしてきませんでした。もちろんそれはそれでよかった面があったかもしれません。子どもたちも「先生はそんなことはしない。嫌なものは嫌だとはっきり言う人だ」と感じ取りますから。一方で、それで子どもたちの可能性をつぶしたケースがあったのかもしれません。

私が教育実習生だったとき、ハンドボールの先生が「井手口な、生徒は『生かし方と殺し方』だぞ」と言っていたんです。生かし方と殺し方。そのときは何を言っているかわからなかったけど、最近になって、わかってきました。うまく生かしながら、いざというときは殺す……つまりはガツンと叱る。うまく叱るための生かし方があるんじゃないか。これは経験と年齢によってなせる業かもしれません。

恩師の言葉として、自分のなかに残っていることのひとつです。

## 子どもたちへの視点・接し方

リクルートについての詳細は後に記しますが、基本的には私が一緒にバスケットをやってみたいと思う子に声をかけています。しかし声をかけても必ず来てくれるわけではありません。だから彼らが来たところからが本当の始まりです。

来てくれたら、まずその子の素直さを見ます。この子は教えていくと染み込んでいくだろうか。最近はその感覚が当たるようになってきました。これも経験だと思います。まず直感的にいいかなと思って、いいと思えば監督は使い続けるものです。でもやはりダメだったなということも随分ありました。実はこの子のほうがよかったなと。

たとえば広島ドラゴンフライズの古野拓巳なんて、高校時代には1秒も試合に出していないと言っていいくらい使っていません。同期に本間遼太郎や長島エマニエル、2つ下にも大城侑朔《ゆうさく》(東京八王子ビートレインズ)や渡辺竜之佑(サンロッカーズ渋谷)たちがいて、ガードが豊富にいたので、彼にまで目が行き届かなかった。古野は居残り練習もすごく頑張っていたらしいのですが、表現がうまくなくて、ちょっとダラッとしたところもあったので、怒られることが多かった。間の悪い子だったのかもしれません。当時の私はうまいと思わなかったんです。それでも系列の日本経済大学で監督をしている片桐章光が取りますと言うから、よかったなと。片桐は入学後すぐに古野を使ってくれて、大学で一気に才能が開花、アーリーエントリーで熊本ヴォルターズに入団しました。当時は清水良規さんが熊本のヘッドコーチで、古野は清水さんのもとでアシスト王を取るなど、今では立派なB・LEAGUE選手です。私の見る目がなかったのか、高校時代の経験が下積みとしてよかったのかはわかりません。逆に主力メンバーとして使っていたら、今の古野はなかったかもしれません。

2019年、河村や小川麻斗、クベマ・ジョセフ・スティーブ（専修大学）に次ぐ選手として、早々に「内尾（聡理／中央大学）だ！」と決めました。周囲の人はそれをどう見ていたのか。もっと背の高い子もいたし、そっちじゃないか？という人もいたと思います。でもなんとなく内尾ならチームのためにいろんなことができると信じていたんです。

そうした決断ができるようになるには、できるだけ長く子どもたちと一緒にいることです。練習が終わったら、当番の選手が数名、教官室の掃除に来るし、帰るときは必ず一人ひとりが「失礼します」と言って帰るようにしています。そのときに私も一人ひとりの顔を見ます。なかにはこれだけ人数がいるんだから、面倒くさいと感じて来ない子もいるかもしれません。でも来なかったらわかるんです。100人くらいだったら、わかる。コートに入っても「あ、あいつがいない」とわかるんです。「あれ、あいつはどうした？……そうか、あいつは今日病院だったな」と。

これは教員を長くやっている賜物かもしれません。教員をやっていると「あ、こいつ、今日、朝飯を食ってきてないな」とわかるものです。その子を職員室に呼んで、「パンを持っとるから、やるよ」。

それができたら、この子は一生私のことをいい先生だと思ってくれるでしょうね。逆に腹が減っていて、イライラしている子に「なんだ、お前のその態度は？　顔を見てちゃんと話を聞けよ」なんて言ったら、「俺は今日、母ちゃんから飯も作ってもらえなくて、腹が減ってんのに、先生までなんだよ？」と思うわけでしょう？　恋愛でもなんでもそうだと思いますが、人と人との関係性にはそういうものがあると思うんです。そういう機微がわかるようになると、いい指導者、いい先生になるんだろうなと思います。

ところが多くの指導者、先生はそう思っていない。本をたくさん読んだらいいとか、難しいことを言えたらいいと思っている。もちろんそれもあるかもしれませんが、高校生くらいまでの指導者に求められることはそういうことではない気がします。

いかに普段の生活の中で信頼関係を築けるか。かといって、いつもベタベタするわけではありません。そうしたいとも思いません。でも何かがあったときに、必要な何かをしゃべれると「ああ、先生は俺のことを見ていてくれたんだな」と思ってくれるかもしれない。もしかしたら古野がいた10年前くらいには、私にその余裕がなかったのかもしれません。学校の仕事も雑多にあって、やっと体育館に来て、やっと練習して、やっと帰るのが精一杯だったのかもしれません。

そうした機微がわかってきた最近は、また生徒の数が増えてきたんですけど、辞めないんです。彼らのなかでも、どこか福岡第一のバスケット部で認められたいと思ったり、自分のいる場所があるんだと思います。それぞれは100分の1だけれども、試合に出ている子は当然として、試合に出ていない3年生でも、そう思ってくれていると嬉しいですね。

むしろ学校はそういうところじゃないとダメだと思います。学校自体に行きたいと思うかどうか。私の高校時代がまさにそうでした。勉強は好きじゃないし、悪いことばかりしていたけど、みんな学校には来るんですよ。先生たちからしたら面倒くさいわけです。来なければいいと思うんだけど、来る。来て、授業を邪魔したりするんです。それは仲間がいるからです。クラスに居場所があるからなんですよね。世の中にはそうした居場所のない子どもたちがいっぱいいるんじゃないかと思うんです。

## 主役もいれば、脇役もいる

指導の機微がわかってきて、均しく目を向けているつもりでも、伸びていく子と、伸びていかない子がでてきます。入学時点では箸にも棒にも掛からなかった子が伸びたり、中学時代に県内のトップチームにいて、全国大会で優秀選手に選ばれていたような子が伸びていかないこともあります。私のちょっとした一言が彼らのやる気を削いだのかもしれません。逆にやる気を出させたこともあったかもしれない。私たち指導者はすべからくやる気を出させる人になりたいけど、ときとして、そうではないこともあったのではないか。

　そうした責任はすべて私たちにあると思わなければいけません。「あいつ、頑張らんやったもんね」、「つまらんやったもんね」と言いたい気持ちもあります。でも「頑張らんやったのは何で？　お前が冷たく当たったたんじゃないか」、彼らがきついと感じているときに「サボっている」と言ったんじゃないか。彼が悩んでいるときに話を聞いてあげなかったんじゃないか。子どもたちはそのときに何かを聞いてくれれば、その人についていこうと思って、どんなにきつい練習でも負けずに頑張れるものです。逆にメンバーに入ろうが入るまいがいい顔をして毎日来てくれていた子が、ある日を境に嫌な顔をし始めて、チームの雰囲気も悪くしてしまう元凶になってしまうこともあります。

　そのあたりは小学校や中学校で打たれ続けている子は強いかもしれません。中学バスケット界の強豪校である福岡市立西福岡中学を卒業した生徒でも、ずっとチヤホヤされてきた子であれば、挫折を味わわせるとまったくダメになってしまうかもしれない。じゃあ、ずっとチヤホヤすればいいわけだけど、私にはそれができない。そういう子には私の言葉があまり積極的に入っていかないんです。

　私は絶対にチヤホヤはしません。河村であっても、隙あれば泣かそうと思っていました(笑)。試合中に、数少ない怒れるチャンスを狙っていました。そのときが来たら、大きな声で怒ってやろう、みんなに聞こえるように怒ってやろう。そう思っていたんですけど、彼を怒るチャンスなんてほとんどありませんでしたね。
強いて挙げられるとすれば、2019年鹿児島インターハイの準決勝、開志国際戦と、その県予選の大濠戦でしょうか。本人は気づいていないかもしれませんが、彼はちょっと受けに回るところがあるんです。相手を受けて、さぁ、料理してやろう。こういう攻め方があるから料理してやるぞと考えるんです。そういうプレーを始めると、やはり福岡第一は小さいんです。立ち止まってバスケットをすると、開志国際や大濠のほうがはるかに大きい。福岡第一にとっては不利です。だから相手はゾーンをしてくる。それをまた受けたがる。でも私たちは小さいことを認識して、受ける前にやっつけよう、そうやって勝っていこうと言っているのに、「いつまでチンタラチンタラやってんだ！」と、開志国際戦はそんな感じで言ったと思います。大濠戦も「いい加減にしろよ！　いつまでこんなことをやってんだ！　約束が違うだろ」って怒りましたね。

そんな河村のいる2019年のチームで、ある意味でカギを握っていたのは神田壮一郎であり、内尾でした。ただその神田や内尾に対しても決して「今年のカギを握っているのはお前たちだぞ」なんて言いません。彼ら自身も自分が主役じゃないことくらいわかっているんです。自分たちは名脇役だと。映画『男はつらいよ』でいえば、彼らは寅さんじゃない。博《ひろし》なんです。その立場にいながら、あるときにはすごいことをやってくれる。泥仕事をやってくれるんです。そういうふうに導いたほうがいいと思います。

私のそうした思いは彼らにもきちんと伝わっていたと思います。なぜなら、面と向かって怒られるのは神田や内尾じゃないからです。やはり河村や小川、スティーブが一番怒られる。間違ってはいけないのはそこだと思います。指導者としては、どちらかといえば神田や内尾のほうが怒りやすいんです。「お前ら、今年やっとメンバーに入っただけやないか。お前らがちゃんとやれ！」となりがちだけど、逆に「いやいや、お前らのシュートが入ったら、俺はもうけもんだと思っている」くらいでいい。彼らは「スタメン1年生」だけど、「勇輝と麻斗、スティーブ、お前らはそういうわけにはいかんぞ。お前らは昨年もスタメンをやっていたんだぞ。フリースローを1本でも落としたら、それはおかしかろうが」。同じ3年生だけれども、それくらい違います。2020年だったらハーパージャン・ローレンス・ジュニア（東海大学）が「前年の優勝をかじったのはお前と（キエキエ・トピー・アリだけだ」と言われて、でもちょっとでもかじっているわけですから、一番怒られる。砂川琉勇《るい》（明星大学）や松本宗志（中央大学）たちは「スタメン1年生」だから、3年生だけど、そこまでプレッシャーをかけたらいけないだろうと。2021年であれば、佐藤涼成と早田流星が怒られる筆頭なわけです。

ただ私の場合、怒るだけではなくて、練習中の何らかの決断、たとえばシューティングを30分やるか、1時間やるか？　といった些細な決断さえも河村と小川、ジュニアにさせていました。そうすることで自然とリーダーが育ってくるんです。みんながみんな、リーダーである必要はないと思っています。主役は与えられた主役としての仕事をして、脇役はしっかりと脇を張る。そうすることでチームはチームになっていくんです。

## マネージャーへの絶対的信頼

2020年で74人、2021年はついに100人を超す部員になりましたが、そうするとマネージャーはかなり重要視します。彼らがいないとチームは成り立ちません。入部当初からマネージャーに、という子もいるんですけど、原則的に一度はプレーヤーをさせます。1年くらいかな。そうしないと選手たちの感覚がわからないからです。選手たちも一緒にきつい思いをした子の言うことは聞くものです。最終的に3年生になれば、選手たちの上に立って、選手に指示を出さなければいけない。そのときに一度も練習をしていないと、同級生から「お前にはこのきつさがわからんめぇが」ということになるから、まずは一緒に練習をさせる。そうすると、マネージャーをしたいと入った子でさえ、やはりプレーヤーがいいということになる。そうなると私の口から「マネージャーをしてくれ」とは言えません。ずるいけど、待っています。来てくれないかな、来てくれないかなって。2020年のマネージャーは、新チームになる前くらいに言ってきました。たぶん学年で話しているんだと思います。

2019年の波田航征は選手として入ってきた子です。彼自身は選手をしたかったんだけど、河村たちが「お前がやってくれたらいいのにな」と言ったんだと思います。彼も「しょうがない、俺がやるか」と重い腰を上げてくれたのでしょう。だから波田に「お前、大学どうする？」と聞いたとき、「先生、大学はプレーヤーでやりたいです」って言ってきました。

2020年のマネージャー、泉美優知はずっと河村のリバウンドをしていた子です。だから河村が卒業するときに自分のシューズをあげて、彼はそれを履いて、1年間マネージャーを務めてくれました。

マネージャーはその子の資質にも拠りますが、ある面でアシスタントコーチの先生以上に信用しています。大人はサボり方というか、手の抜き方を覚えていくものです。それで仕事ができるようになったと勘違いをする。やり方に慣れてきただけであって、大して成長はしていないんです。またアシスタントコーチの先生たちだと彼らの好き嫌いが出るんです。自分になびく子はかわいいし、自分に反発する子は疎ましい。若いときはそれで決めがちです。それは仕方がないことでもあります。ただ私くらいの年齢になると、ぶつかってくる子のほうがかわいく感じたりするんです。いい子ぶりっこしている子のほうが、よほど何か含んでいるんじゃないか、「だから何だよ？」と思ってしまう。

でもマネージャーは1年間で、どんどん成長していく。プレーヤーと同じような成長率で伸びていきます。いろいろな仕事を教えていって、最終的には私が言わなくても、いろんなことを判断して、

「先生、こういうことをやらせていました」とか、「こうやらせましょうか？」と言ってくる。何より彼らは選手たちと一緒の寮に住んでいることが多いから、子どもたちの情報をたくさん持っているんです。いいことも、悪いことも。悪いことは当然言わないけど、「あいつ、最近どうだ？」とか、「あいつとあいつ、どっちをAチームに入れようか？」というときは、だいたいマネージャーに相談しています。「先生、こっちです」。「うん、わかった」

もちろん彼が自分の好き嫌いで物事を判断するようだったらダメですけど、だいたいこの子が見ていることのほうが正確なんです。「おい、朝、誰がちゃんと来てる？」と聞くと「先生、こいつはしっかり来ています」と。私のわからないところを一番見えているのがマネージャーなんです。マネージャーはおもしろいですよ。私は本当に頼っています。強いときはやはりマネージャーがいいんです。

## 海外で異なるバスケットを感じてほしい

2020年こそ新型コロナウィルスの影響で実施できませんでしたが、近年は毎秋に台湾遠征をおこなっています。これは台湾にある松山高校のローマン（黄萬隆）監督が、仙台大学附属明成に来たことから始まっています。もっとさかのぼって、イエメンでおこなわれたU18のアジア選手権で彼が台湾のヘッドコーチ、仙台大学附属明成（当時は明成）の佐藤久夫監督が日本のヘッドコーチ、私がアシスタントコーチとして参加したところから始まったといったほうがいいかもしれません。その大会で知り合い、ローマンもデイブ・ヤナイさんの弟子だとわかった。ローマンと一緒にデイブさんに電話をするなど、彼といい関係を築くなかで、ローマンが台湾に呼んでくれたんです。台湾には松崎英明さんという日本体育大学の先輩もいたので、松崎さんが細かなサポートをしてくださっています。

海外遠征をするのには、海外の高校生と対戦し、チームを強化する狙いのほかに、もうひとつ理由があります。子どもたちに世界を見せてあげたいという思いです。

2019年の夏休みに、河村と小川の2人だけでしたけど、ロサンゼルスに連れて行きました。福岡県のトップアスリート事業という、世界選手権に出るような選手に報奨金が付く制度を利用したものです。河村にそれが出て、どんな形で使ってもいいということだったので、アメリカに行こうと。私の分は学校から出してもらって、河村1人では心細いだろうと小川の分も学校から出してもらって、3人で行きました。2人をデイブさんに引き合わせて、私はすぐに帰国しましたが、彼らは2週間くらい滞在しました。

個人的な思いを言えば、1年生を連れてアメリカ遠征に行きたいんです。やはりアメリカはバスケットの生まれた国ですから、何かがあるわけです。それを感じ取ったら余計にバスケットが好きになるのではないか。NBAやNCAAの試合も見せたいけど、それらは冬なので、私たちも試合があるし、現実的ではない。であればサマーキャンプなどをやっている夏に行くこともまたアメリカらしいかなと。

2019年はUCLA(カリフォルニア大学ロサンゼルス校。NCAAの強豪大学)で、ジェームス・ハーデン(NBA/ブルックリン・ネッツ)が上半身を裸にして、ピックアップゲームを必死にやっている姿を見ました。裸組とシャツ組みたいな感じで。これがアメリカのすごいところかなと思っているんです。何かのスキルが身につくというのではなく、バスケットの国の〝空気〟を吸う。これを毎年、1年生の夏にできたらいいなと思っています。

## 高校生らしいかっこよさ

今はさまざまなスポーツで、多様なスタイルが生まれてきています。私たちは学校現場にいるから、サッカーのクラブチームやJリーグのユースチームに所属していたり、野球のシニアリーグを経て、学校に来ている子たちに触れることもあります。そこでは残念な思いをすることが多いんです。やはり彼らは私たちが考えている部活生ではない。いわば「サッカー塾」、「野球塾」に行っている子たちなんです。そこの指導者が人として、あるいはスポーツマンとしてという部分を教えてくれていれば、彼らも私たちが思い描いているスポーツマンとして高校に来るわけですが、実際にはそうでないことが多い。それぞれのスポーツの厳しさは教えてもらっているけど、人としてのものを教えてもらえずに来たとき、「なんだ、お前ら?」となる。要するにJリーガー気取り、プロ野球選手気取りで学校に来るんです。もちろん全員がそういうわけではありません。

私が担任をしているときは「野球・サッカークラス」を作って、私がクラス担任をしました。バスケットや剣道、陸上の子らは部活動から来ているから、誰が担任してもいい。担任の先生方も喜ぶわけです。たまに並里成(琉球ゴールデンキングス)みたいな少しヤンチャな子もいるけど、可愛いものです。野球とサッカーは大変でした。言うことを聞かないし、生意気だし、先生のことも「監督」「コーチ」と呼ぶんです。職員室で「○○監督はいますか?」「○○コーチはいますか?」とやってくる。「ちょっと待て。ここでは『○○先生』だろう?」。そうしたことを野球やサッカーの指導者も教えられないのかなと。いや、監督だから監督でいいだろうと言われるかもしれません。確かにグラウンドに来たら監督だし、体育館に来たら監督でいい。でも教室や職員室にいるときは先生でしょう?

そうした指導はせず、プロのように見た目さえも緩やかにしてしまう。「その髪型、かっこいいねぇ。Jリーガーみたいだね。でも国見高校(長崎)のサッカー部を見てみろ。全員坊主やろうが。高校サッカーってそげなもんぜよ。明日、髪の毛を切って、出直してこい」と、入学式の日に言ったこともあります。

こうしたことは、JリーグやB・LEAGUEの関係者が本気で考えなければならないことです。

現在、3×3日本代表のディレクターコーチをしているドイツ人のトステン・ロイブルが、サッカーのワールドカップでドイツが優勝したとき、「井手口さん、ドイツの選手はみんなきちんとしているでしょう？　茶髪やロン毛はいないでしょ？」って威張っていました。「日本は何で金色？　茶色？　ドイツにそんな選手はいないよ」と。

私も並里に「成、いい加減、そういう髪型やめて」と言いました(笑)。「それをやっている限り、日の丸はないから」と言ったら、「いや、これは僕の主張だ」と。結局東京オリンピックが延期になって、少しくらい可能性はあるかなと思っていたけど、「その髪じゃ入れてもらえないよ」って言ってやりました。

野球でも王貞治さんや長嶋茂雄さんは変な髪型にしませんでしたよね。もちろん見た目ですべてが判断できるわけではありません。でも、かつての野球界は健全なものになっていたと思います。そうしたところをプロのチームや選手たちにも意識してほしい。彼らがきちんとやることによって、高校生はもちろんのこと、中学生や小学生のお手本にならなきゃいけない。そうした責任があると思っています。

最近は個性の尊重などと言って、そうしたことを許す傾向にあります。もちろんプロだったら、それはいいと思います。私が古い人間だからそう思うのかもしれませんが、そこに爽やかさはないですよね。同じプロでもマイケル・ジョーダンはそんなことをしなくてもかっこよかったでしょう？

坊主頭でかっこいい。裸ひとつでかっこいい。そういう人が増えてきてくれるといいなって思っています。

## 2016年2冠の立役者・土居光

世の中から「ヤンキー」みたいな子が減ってきて、『スラムダンク』の桜木花道みたいな子も減ってきつつあります。でも私個人としては、そういう子もときどきはいたほうがいいと思うんです。いなければ学校の先生はいりませんから。品行方正の子たちだけなら、クラブチームのコーチでも、外部コーチでも指導はできます。

たとえば土居光は2016年にインターハイとウインターカップの2冠を達成したときのフォワードです。彼が中学3年のとき、仲良くしていた先生から「井手口先生、面白い子がいるよ」と教えてもらったんです。「エジプト人と日本人のハーフで、身長も190センチ近い」と。食いつきましたが、一方で、私の仲間である中学校の校長先生やバスケット関係者は一斉に「やめろ」と言う。「土居だけはやめておけ。いくら井手口でも無理だ」、「とにかくひどいんだ。悪いことは全部しているだろう」と言うわけです。私の仲間というのは、ほとんどが生徒指導上がりで校長になっているから、わかるんですよ。だから「井手口、やめておけ。お前のマイナスにしかならない」と。「ここまでのチームを作ったんだから、わざわざそういう子を入れる必要はないだろう?」と言うんです。創部当初はリクルートをしても選手が来てくれないから、そういうヤンチャな子を厳しく指導して、まっすぐにさせて、コートに立たせていました。仲間の先生たちも「井手口、何とか頼む。こいつにはバスケットしかないから、こいつを何とかしてくれよ」と言ってきていました。それが土居に関しては、やめておけと言うんです。時代的にもそんなことをする必要はないじゃないかと言うわけです。

ただそのときはまだ重富友希・周希と、留学生の蔡錦鈺《さいきんぎょく》しか決まっていなかった。選手の数が圧倒的に足りないんです。アンダーカテゴリーの日本代表コーチもやっていたときだから、リクルートも思うようにできないし、背が高いならということで練習に呼んだんです。

そのとき土居に「お前、どうしたい?」って聞くと、「先生、俺は将来、NBA選手になりたいんだ」って言うわけですよ。

「そう。でも、お前、悪いよね? 悪いこと全部しているんだよね? お前が何をしているか、全部聞いているけど」

「……はい」

「どうするんだ?」

「やめます。もう一切悪いことはしません。バスケットを頑張ります」

「わかった。お前を信じよう。来い」

本当に悪いことをしなかったかどうかは正直、わかりません。ただ「もうしません」と言って停学になる子もいるなかで、土居は一度もそうならなかった。彼なりに辛抱したし、改善もしたんだと思います。実際、入学前にはお母さんと一緒に、学校の近くに引っ越してきました。そうすることで地元の悪い仲間とは切れていたんです。

当時は部員数も少なかったので、土居も1年生のときからウインターカップにエントリーしました。ただAチームで練習をすると、必ず土居のところで練習が止まるんです。真剣にやっているかなと思うと、スッと感情がなくなる。要するに継続性がないわけです。いいものを持っているから使いたいけど、やらせると「ああ、失敗した……」。ディフェンスに戻らない。パスミスした。「もう……」とふてくされる。

「なんだ、それは？」

「ええっと……」

「ふざけるな、出ていけ！」

「いや、出ていきません」

「よし、じゃあ、今日のAチームは練習終わり」

こういう日が何度もありました。そうして、いよいよ彼らの代になって、スタメンで出すんですけど、すぐにファウルをして、いなくなる。第1クォーターで3つくらいファウルをするんです。

しかもどうでもいいファウルです。

そんな日々、そんな試合を繰り返して、3年生のインターハイ予選のときに、ようやく土居にスポットライトが当たった。シュートが落ちない。土居のことを知らない人はみんな、「え、あれ、誰?」状態です。梅野哲雄・福岡県バスケットボール協会会長に至っては「井手口、なんだ、あいつは? 秘密兵器か?」と言うほどです。「ずっと出ていたんだけど、すぐにファウルでいなくなるやつで……」っていう感じでした。

それでもまだ練習では土居のところで止まるんです。友希と周希に「もういいよな? 光を外そうな」と何度言ったことか。友希と周希も「もういいですよ」

それが7月の練習で、やはり5対5をやっていたときに、また土居で止まったので「もういい。コートから出てろ」って言おうとしたんです。だけど、そのときだけはなぜだかわからないけど、黙ってコートに戻したんですよ。そうしたら次の瞬間、ビックリするようなプレーをした。「あれ?」と。怒らなかったら、いいプレーをした。そのとき、ふとわかった気がします。「ああ、こいつは自分のしたミスについてわかっているけど、怒られることでうまく表現できなくてダメだったんだ。怒られなかったら、自分で気づけて、いいプレーができるんだ」。それから1度も怒っていないんです。

その年、インターハイで優勝したのも、ウインターカップで優勝したのも、土居の存在が大きいんです。オフェンスだけじゃない。東山高校(京都)戦で、相手のキープレイヤーである、岡田侑大くん(富山グラウジーズ）に1年生の松崎裕樹（東海大学）をつけたんだけど、抜かれたところをヘルプしたのはすべて土居です。土居を最後まで頑張らせたことが、あの年の2冠につながったのだと思っています。

彼のバスケットについては高校から始まったという感じです。私としては、西福岡中や本丸中、沖縄私立コザ中から来た子たちに合わせてバスケットをしているところもあるんです。中学時代にある程度、一皮剥かれた子に合わせてやっているから、土居にとってはこういう世界が初めてなんです。無理もない。だから3年もかかってしまったんだけど、3年かかってでも、そうなってくれたことは指導者としてうれしいことです。

また私自身、彼を指導することで、怒り続けたことがダメだったんだと気づけ

高校3年間で人間的にも大きく成長した土居光。
日本体育大ではキャプテンを務めた

ました。そこもひとつ勉強になったところです。それまでは力にモノを言わせて、「俺の言うことを聞けよ」と言うだけで通ってきたけど、日本中に「体罰は絶対にダメ」という考えが広く行き渡ってきた時期でもあったし、私も土居を通じて改めて、罰ではないことで通じ合える新しい指導に出合えたような気がします。

彼は「今日、上京します」っていう日の朝まで練習に来ていました。ウインターカップで引退してからも一日も休まず、練習に来ていた。２０１９年のインカレでは筑波大戦の前に、応援に行っていた私の横に座って、私の手をずっと握ったまま「絶対勝つ、絶対勝つ」って言ったり、日本体育大の4年生になったとき、自分から志願してキャプテンにもなって、２０２０年には福岡第一に教育実習しにも来ましたからね。

## 教師が持つ影響力

福岡第一が初めて全国で優勝したときも、竹野修平というヤンチャ坊主がいました。彼も土居と同じような感じでした。ただ実力はあったので、入学してすぐに1年生でスタメン起用をしました。でも2年生になる前、春の遠征から帰ってきたら、竹野の鼻にピアスの穴が開いていたんです。その日からずっと応援席です。コートから締め出されたわけですね。だから1年生のときはスタートだったけど、2年生のときのインターハイ予選には出ていないんです。チームはかろうじてインターハイに出場したんですけど、竹野は試合に出ていません。

そんな夏休みにデイブさんが福岡に来て、クリニックをしてくれた。その最後にデイブさんが「井手口さん、修平を辞めさせなくて、ありがとう」って言うんです。その前の年にも来てくれて、1年生の竹野や近忍、田中利明を見ているから、「楽しみな1年生だ。1年生でこれくらいできたら、いいよ」と言ってくれていたんです。でもその翌年に来てみたら、竹野が練習に入っていない。こちらからすると当然なんです。デイブさんの練習であっても入れません。竹野は体育館の上でずっと見ていた。そうしたら「井手口さん、修平を辞めさせなくて、ありがとう」と言うわけです。これにはやられました。初めてアメリカ遠征をしたときの三井の一件に続いて、「デイブ・ヤナイにやられましたパート2」です。

普通だったら「いいじゃないか、井手口さん。もう許してやってよ。練習に戻していいんじゃないか。修平はチームに必要だろう？」と言われるものだと思うじゃないですか。そうじゃなくて「修平を辞めさせないでくれて、ありがとう」だったんです。

それで2学期くらいからAチームに戻したんですね。当然、彼らの代になったらスタートです。6月の九州大会では延岡学園と決勝戦をやって、勝てばインターハイのシード権を獲得できる。必死になって戦っていたら、頑張りすぎた竹野の足が攣ったんですよ。だからベンチに下げたんですよ。

そうしたら「なんで代えると?」と食って掛かってきた。「うるさい。黙って、治してこい!」と言って、ハッと気づいたら「もう治った」と言って、自らテーブルオフィシャルズに「交代」と告げて、コートに出ていった。私が指示もしていないのに、です。そしてすぐにレイアップシュートを決めて、威張ったように「勝った」という仕草を私に見せてきたんです。侍ですよ。それが九州大会の初優勝でしたね。インターハイ決勝の北陸戦も、最後の勝負所で走ったのは竹野でした。

その年のウインターカップの県予選も忘れられません。あのころは福岡県から1校しか出られなくて、インターハイで優勝しても予選があるから、当然また大濠と大変な試合になることはわかっていました。その1週間くらい前の練習で、竹野が変な髪型にしてきた。あの頃の福岡第一は坊主頭じゃなかったんです。坊主の子もいたけど、長い子もいた。混在していた。そうしたら竹野が変な髪型にしてきたから「帰れ!」って帰したわけです。そうしたら本当に寮からも出ていって、しばらく帰ってこないわけですよ。試合の前日か、2日前に、お父さんが連れて帰ってきた。「先生、ごめん」と。

ようやく帰ってきてくれて、試合にも出したんです。案の定、大濠と競るんです。竹野もファウルトラブルか何かでベンチに下げていたんだけど、ラスト1分か2分で、同点というときに「修平、行くぞ」って言ったら、何て言ったと思います?

「先生、ダメ。怖い」

「は？」

「しきらん（できません）！」

「何がしきらんか、貴様ァ！」

そう言って、今度は私からテーブルオフィシャルズに交代を告げてコートに出したら、パッとスティールして、サッとシュートを決めた。それが決勝点だったかな。ほかにもヤンチャな子はいましたけど、福岡第一のヤンチャ坊主といえばまず竹野が思い浮かびます。

2020年、狩野祐介（名古屋ダイヤモンドドルフィンズ）が中心になって、OBのBリーガーの子らがボールを50個くらい寄贈してくれたんです。竹野はそれを聞いて「自分は何もできんやった。ただあいつらも先生には何もないから……生徒にはボールが行ったけど、先生には何もせんもん」と言って、Gショックの腕時計をプレゼントしてくれました。「（福岡第一のチームカラーである）緑でよかろうが」なんて言いながら。あの竹野が、って思うと、やはりうれしいものです。

チームカラーの緑のGショックを
プレゼントしてくれた竹野修平

努力と練習が嫌いな子でした。この間も「先生、俺どうだった？　なんで、ああだったかな？」と言うから、「お前は努力と練習が嫌いだったからな。河村と比べても、お前のほうがはるかに運動能力は高かったけど、河村は努力と練習が好きなんだよ。その差だよ」と言ってやりました。

最近でいえば古橋正義(日本体育大)でしょうか。彼にもヤンチャな匂いがあって、1年生のときに同級生とトラブルを起こしているんです。もちろんそこには理由もあったし、私も古橋を辞めさせることはしなかったんですけど、2年生くらいまでは古橋にもそうした荒れたところがあった。

2年生のゴールデンウィークだったかな、私の言い方が気に入らなかったのか、練習試合の途中でプイっと体育館から出ていったんです。そういうことが2回

狩野祐介をはじめ、OBのBリーガーたちがボールを50個寄贈してくれた

くらいあったと思います。

1回目は放っておいて、寮に帰った古橋を安田先生がなだめたら、昼からは平気な顔をして戻ってきた。2回目のときは、私も追いかけていって、詰め寄ったら、今にも殴らんばかりにかかってきたんです。そうして私に向かって「お前のところになんか来なけりゃよかった!」みたいな捨て台詞を吐いて出て行った。まかり間違って私が手を出していたら、彼も殴りかかってきていたかもしれない。それくらいの緊迫感でしたが、お互いにそこはこらえました。

でもその一件で「古橋にはこういうところがあるんだ」と強く思いました。よく言えば男気があるタイプです。

彼が怒ったのは、たぶん、勘違いだと思います。実は彼が1年生のときにお父さんが亡くなっているんです。しかもウインターカップの最中に。そのときは一度大阪に帰して、準決勝くらいからは喪章をつけさせて試合をさせました。ベンチ入りしている子でしたから。

そのあとだったかな、私がキャプテンの井手拓実に「表情が悪い」って言ったんです。「正義の表情が悪い」って。それを古橋は「顔が悪い」と言われたと勘違いして、「顔が悪いってことは俺の親父の顔が悪いと言っているようなものだ」と捉えたんです。親の悪口を言われた。彼の頭のなかでそうまとまったようで、「親の悪口言わんでいいやろうが」って言ってきたんです。

「何の話だ?」

「親の顔が悪いから俺の顔も悪いって言ったらしいな」

そのときはお互いが興奮しているから、私も放っておいた。ただ少し気持ちが収まって、彼が寮から戻ってきたときに諭しました。

「ついカッとなって人を殴るとか、人を刺すとか、そうしたら一生終わるよな。お前はそういう可能性があるから、これから腹が立ったときは、一度奥歯を噛んでから、しゃべれ。1秒奥歯を噛んでから、しゃべっていいことをしゃべれ。お前が先生に言った言葉だけで退学になるんだぞ」

先生に向かって「お前、そう言ったやろうが！」みたいなことを言えば、本来ならばアウトです。そのときは私と2人だけだったけど、みんなの前でそれをやっていたら、教員としてもそれなりの対応をしなければいけない。2人だけのときだったから不問に付しました。

「だけど、正義、それはわかるよな？　お前、学校を辞めなきゃいけないよな」

「わかります」

「そういうことになるだろう？　だから1回、奥歯を噛みしめてからしゃべれ。そうしないと必ずお前、また失敗するよ。ここに来て2回目だろう？　1年生のときのトラブルだって、お前はそいつをしっかりさせようという思いからの行動だったのかもしれないけど、後々よく考えたら、他にも方法はあっただろう？」

「はい」

「今回だって、もし先生がお前に対して侮辱的なことを言っていたとしても、お前が暴言を吐いたらアウトなんだよ。そういうことが世の中にあるんだ。誰かを殴ったとか、刺したという事件にもつながりかねないから、そういうのはやめよう。奥歯を噛みしめよう」

その一件以来、古橋に関しては何もなかったです。むしろ大濠のエース・横地聖真くん（筑波大学）を守るという仕事をやりきりました。横地くんや、桜丘高校（愛知）の富永啓生くん（アメリカ・レンジャーカレッジ）を守るという役割を、彼の個性を生かしながら与えたら、それを見事にやりきってくれたんです。

2018年のウインターカップで優勝したとき、河村がインタビューの際にしきりと「古橋正義さん」と彼の名前を挙げていたのも、河村のなかに感じるものがあったのでしょう。横地くんや富永くんのような個人技の高い相手のエースを抑えることがゲームの勝敗を左右していたし、それを古橋は任されていたわけですから。それを河村も感じ取っていたのだと思います。

そんな古橋が卒業後の進路として日本体育大を挙げてきたときは驚きました。

「正義、大学はどこに行きたいんだ？」

「日本体育大です」

「え？　それって俺の後輩になるってことだぞ」

あのとき「お前のところなんて来なければよかったよ」なんて言った子が私の母校、日本体育大に行くなんて、想像もしていませんでした。大阪の子だから、大阪体育大学がいいかなとは考えていました。中学の先生も「体育の先生になりたいんだったら、大阪体育大がいいんじゃないか」と言ったんだけど、本人は「いや、日本体育大だ」と。

土居は日本体育大から声がかかったこともあるけど、古橋も併せて彼らが日本体育大を選んだのは、もしかしたら私の母校だったからかもしれません。それは教師として非常にうれしいことです。松崎や河村が東海大に行っているのは、自分の夢や陸川章ヘッドコーチの存在も大きいけど、もしかしたら部長の今井康輔が東海大の卒業生ということもあったのかもしれません。

そうした私たちの影響を受けてくれているのはいいことなのかなと思います。他校にもそう思う子はいますよ。それは教師の力でしょう。部活動の良さでもあります。社会に出た後も、どこかで思い出してくれるかもしれません。こうして話をしていても、涙が出て来そうになります。

## 子どもに教えるとはどういうことか？

ありがたいことに最近は全国から「福岡第一でバスケットをしたい」と門を叩いてくる子が多くなりました。ただ彼らに福岡第一のバスケットを浸透させることは、決して簡単ではありません。時間がかかるんです。西福岡中であれば鶴我隆博先生が、また以前の本丸中であれば富樫英樹先生

大学の同期で、永遠の仲間、ライバルでもある開志国際高校（新潟）・富樫英樹監督（右）

が、私と似たようなことをやっているわけです。練習を一生懸命やる。練習以外もしっかりやる。当時の本丸中は開会式の入場行進もしっかりやり隊列を組んでいたし、バスケット部が学校の見本となるべきだという観点で指導されているから、ウチに来ても非常に楽なんです。ベースが同じだから。

しかしほとんどの中学はそうじゃない。今残っているのは西福岡中くらいかもしれない。それだって鶴我先生が定年退職をされて、今後どうなるか。ただ鶴我先生がライジングゼファー福岡の育成部長に就任されたから、今後はそちらでプレーも、プレー以外の考え方も、男としての生き方さえも教わった子が出てくるかもしれません。福岡県が「バスケット王国」として、より一層力をつけていけるんじゃないかと、私自身も期待しています。

話を学校に戻せば、要はバスケット部が学校の中で一番いいクラブにならなければいけないし、福岡県の中で一番いいチームにならなければいけない。「一番いい」とは何かといえば、どこから見ても、誰から見られても恥ずかしくない振る舞いができるように、というところが大きい。そのこと自体の意味がまだわからない子が多いんです。何がいいのか、悪いのかもわからない。作法一つもわからない。そういったことをできるようにしていく。もちろんそれは全体的に話していくこともあるけど、見つけたときに注意してあげる目も必要でしょう。これはクラブの指導者だけでなく、学校の先生たちにも言えることです。


並里が1年生のとき、いわゆる「沖縄タイム」から抜け出せなくて、なかなか集合時間の前に来られなかった。彼は「なんで9時から練習なのに、8時55分に来なければいけないのか？　9時でいいだろう？」と言うわけです。これが沖縄の人の感覚。時間など関係なく、結果的に「練習に来たんだからいいだろう？」というのがアフリカの人の感覚です。

そうなったとき、どう指導するか。たとえば日曜日の練習を9時からにします。集合は8時半です。並里が遅刻しました。その日は練習はやらない。サーやティアノが遅刻しました。「今日はお前らが遅刻したから練習はできません」

時間を守るというのはチーム内で交わした約束です。もちろん具合が悪くて起きられなかったなど、やむを得ないときもあります。用事があったとしても、わかっていればいいけど、何もわからずに遅刻してきたときはよくやっていました。特に主力の子であればあるほど、そこは厳しくしました。今だってあります。

ただ、罰も与えるけど、許しも与えるようにしています。朝練があって、7時から7時半くらいに登校してくる。結構つらいんですけど、そういうルールを決めているので、遅刻をしたら、少なくとも朝練はできない。その時間はずっと掃除。でも放課後の練習は入っていいよと。このとき朝の遅刻を見逃してしまうと、どこかでまたやらかす可能性が出てくる。彼らによく言うのは「それがウインターカップ決勝の朝だったら、お前遅刻するかよ？　絶対にしないだろう？　前の晩から準備をしているはずだ」。それを毎日、きちんとやってくれたら、決勝戦もいわゆる「いつもどおりでいいよ」となるんです。明日がウインターカップの決勝戦だと思って、毎日練習してほしいというところに持っていくようにしています。

## 1年生には優しく、3年生には厳しく

基本的に学年は関係なく指導していますが、やはり1年生には優しく、3年生には厳しいかもし

れません。そのほうがいいと思っています。1年生は福岡第一のバスケットがわからないから失敗もするし、それをみんなで教えながら育てていきます。ただ3年生くらいになると、自分が寝坊して来ると、コートに入らず、ほうきを持って立っているんです。「ほうきなんか持ってどうした?」と聞くと「すいません、寝坊しました」。それによって1週間も2週間も練習をさせてもらえないのであれば、彼らも隠すと思います。しかしその日の朝練1回くらいなら休んでも取り戻せる。なんなら昼休みに出てきてシュート練習をしようくらいの気持ちがあれば、正直に言ってくれるものです。

最終的に私が言っているのは「うそつきが一番嫌いだ」ということです。モノを盗んだら「盗んだ」と言いに来い。たばこを吸ったら「たばこを吸った」と言いに来い。どちらも決してやってはいけないことだけど、未成年として許されるところもある。それを完全に遮断してしまうと、子どもたちは隠すんです。自分のなかで「先生のことを騙していた」という罪悪感にもつながりますし、もしかしたら周りの大人たちも「言わんときゃ、わからんっちゃから、黙っときゃいいやないの。先生もわからんっちゃもん」と言うかもしれない。「だって、あんた、バレたらバスケットができんくなるよ」と。でも大事なのはそういうことではないんです。

それはまたしても、私の高校時代に戻るんです。卒業前にみんなでお酒を飲んで、担任の先生にバレてしまった。最初は先生も不問にしてくれそうだったんだけど、どうやら職員会議で、正直に言わなければ「卒業させられん」という話になったらしい。先生はそれを教えてくれて、だから、みんなでもう一度話し合って、正直に話すことにしたんです。その結果、1週間の停学になったわけだけど、あそこで正直になれたから、この年になっても笑い話になるんです。停学の期間も、6日間までなら大学への推薦も受けられるので、先生は何とか「6日間で」と頑張って下さった。結果としてそれは受け入れてもらえなかったのだけど、ギリギリまで踏ん張ってくれていたんです。私自身もそういうことが子どもたちにできるような先生でありたいなって思っています。結局のところ、私は「先生」なんです。

中村学園女子時代に、保健の授業で覚せい剤の話をしたことがあります。こういうのがあるぞと。そうしたら授業後に「それを飲まされたことがある」と言ってきた子がいました。私もまだ20代でしたし、さすがに少し慌てました。そんなことが周りの先生に知られたら「退学にしろ」と言われたでしょう。「井手口先生、大丈夫かな?」。「1回だけか?」。「1回だけです」。そんなことを言ってきた子もいます。

教員も基本的に隠してはいけないと思っているんです。学校の中で何かがあれば、学校にもきちんと報告して、対応しなければいけない。ただそういう事案と、私と親とで解決できる事案もある。特に学校の外で起こったことであれば、私たちで解決できることもあるわけです。そういう意味で、墓場まで持っていかなければいけない事案は山ほどあります。死ぬまで誰にも話せない話はいっぱいあります。そこはすべて学校に報告しなければいけないということではないと思います。

ただ、ここで言いたいのは、そんな秘密のネタがたくさんあるんですよ、という自慢ではありません。正直に私に、あるいは信頼のおける先生に話せる関係を築くことで、子どもたちの気持ちは楽になるんです。あとはこちらの裁量です。校長先生にだけは伝えておこうとか、たとえその子がバスケットを辞めることになっても、この子にとって大事な対応だと思うこともあります。度重なる行為で「またか……悪いけど、お前は預かれない。家に帰れ」ということもありました。今はいないと思いますが、お金がなくて、腹が減って、ついついコンビニで万引きしましたというような子には「もう二度とするなよ」で解決するけど、二度としないって言いながら、またする子もいる。それが癖になっている子もいる。決して許されることではないけど、それをどう対処するか……子どもたちのことを思って、どう対処するかも我々の仕事です。そういうことが100%のタブー、甲子園のように100%のタブーであっては、これだけの部員は預かれません。

そうした危険性もあるから、たくさん入れないほうがいいんじゃないか。誰かひとりが悪さをしてもバスケット部全員の責任になるぞ、と言われるかもしれません。でも、そういう子どもたちの中にもバスケットが大好きな子はいるわけです。もしかしたら、バスケットをすることで、もっと悪いことをしていたかもしれないことを止められるかもしれない。土居光のように中学とは全く違う高校生活を送って、今や「お前が教育実習に来るの？！」とうれしい驚きを与えてくれる子もいます。

教員の免許を持つってことは、当たり前ですけど先生になるかもしれないわけです。かつて多くの失敗をした子が先生になったら、逆に素晴らしい先生になるだろうなって思ったりもします。

今の時代、素行の悪い子の心に寄り添える先生はほとんどいません。一方で先生の裁量ひとつで辞めさせる、辞めさせない、チャンスを与える、与えないと決めていいのか。そういうご批判も、あるいはあるかもしれません。しかしそれも私のチームマネジメントのなかの決断だと思っていいます。タイムアウトを取るとか、メンバーチェンジをすることと同じ事だと思っています。長い目で見た試合……彼らとの長い試合です。先生と生徒との試合ですが、そう思っています。

# 第4章　強いチームになるために

## 福岡第一バスケットの根幹

デイブ・ヤナイさんに出会って以来、福岡第一のバスケットは今なおディフェンスがベースにあります。ディフェンスの練習は地味だし、つまらないイメージがあると思います。でも、いいディフェンスができたら、楽なオフェンスができるんです。また、よく言われることですが、ディフェンスは裏切りません。オフェンスは調子の波があるけど、ディフェンスには波がない。だから勝つためにはディフェンスを頑張ろうよという話です。ディフェンスの根幹は頑張ることなんです。

2019年の福岡第一には河村勇輝がいて、小川麻斗がいて、クゼマ・ジョセフ・スティーブがいました。彼らの力で高校3冠を達成したかのように思われますが、実は残りのスタメン2人、内尾聡理と神田壮一郎の存在が大きかった。バスケットをよく知っている方なら、内尾のディフェンスがカギだとわかるはずです。その前年であれば古橋正義です。

ガード陣はディフェンスを頑張ります。特に彼らはボールを持っている選手を守ることが多いから、そのディフェンスを頑張るんだけれども、実はボールマンディフェンスが一番簡単なんです。一番難しいのはヘルプディフェンスです。だから私はコートに立つ5人のうち、一番ディフェンスが未熟な子にボールマンディフェンスをさせています。

2016年、松崎裕樹が1年生のときも重富友希・周希を中心に全国優勝したわけですが、東山との決勝戦で松崎が誰についたかといえば、岡田侑大くんでした。東山のエースです。私は松崎に「とにかく遮二無二につけ。できる範囲でいいから」と伝えました。「あとは光が全部カバーするから」と。抜かれたら土居光と蔡錦鈺がヘルプをして、土居と蔡のところは友希と周希がカバーする。必ずヘルプに来る。だから「岡田には簡単に3ポイントシュートを打たせるな。ドリブルをさせろ」と。当時、周囲の人たちは松崎を「1年生でよく岡田くんについたね」と評価していましたけど、違います。それが一番簡単なことだからです。だから松崎を岡田くんにつけました。

一方で彼らは「土居くんはゾーンをやっていたのですか?」と聞くわけです。土居は常に松崎がやられるところを読んで、そこにいるわけです。だから土居だけゾーンをしているように見えたので

2016年インターハイ、ウインターカップ2冠の立役者・重富ツインズ。
真ん中はマネージャーの山口昌也

しょう。土居には「お前は3年生なんだから、深いヘルプポジションから自分のマークマンのところに戻るのは当たり前だ」と言いました。1年生ができることはせいぜいボールマンに食らいつくらい。それが1年生や2年生と、3年生のディフェンスの違いだと思っています。

有名なディフェンスドリルである「シェルディフェンス」なんて毎日やるのですが、それを本気でやっていたら、1日1回しかやらなくても3年間で考えると1000回以上……いや、1000回もやらないくらいです。それでもどんどん蓄積されて、体が覚えて反応できるようになる。すると「今はヘルプだ！」とか「今はトラップまで行ける！」、「ここはスイッチだ！」と、選手たち自身が判断できるようになります。

重富兄弟に至っては見事なまでにスイッチしたり、トラップしたり、見ているこちらも訳がわからないほどです。「お？　お？　取ったと？」みたいな。元々そうした嗅覚のある子たちだったけれども、そんな彼らに福岡第一の練習がきれいにハマったのでしょう。

もちろんチームディフェンスですからルールもあります。しかしそれも削れていくものです。「プレッシャーをかけろ」という指示が出ていても、なんでもかんでも飛び出していいわけではない。ボールを取りに行って、逆にカウンターでやられることもあります。1年生のときはそれでもいい。ファウルも1年生のときはしてしまいます。でも3年生になったらカウンターでやられてはいけないし、ファウルもしてはいけない。そうでなければダメだと思っています。

オフェンスには大きな差はありません。1年生でも、3年生でも同じ。でも守ることに関しては、圧倒的に3年生のほうができるようになっているはずです。だからディフェンスは出来上がるまでに時間がかかるんです。

## ディフェンスは〝農業〟

ディフェンスは〝農業〟だと思っています。日本人は農耕民族だからできます。欧米人は狩猟民族だから獲物を取ってきて食べればいい。つまりはオフェンス型です。日本人は農耕民族だから地道にやり続けて、稲穂が実ってきて、さぁ、できた！　たまに台風や豪雨などで一瞬のうちになぎ倒されることもあるけれども、それでも次の年にはまた苗を植える。我慢強くできる民族なんです。

ラグビー日本代表がいい例だと思います。2019年のワールドカップを見ていて、彼らの何がすごいかといえば、常に1人に対して2人でタックルに行って、タックルしたかと思ったらすぐに立ち上がるんです。アウトナンバー（数的不利）ができないよう、すぐにまたマッチアップしに行くわけですよね。そのディフェンスをやるためのトレーニングを彼らはしてきた。1日4回、吐くほどの練習をしなければそれだけの体は作れなかったと思います。

バスケットでも同じことが言えるのではないでしょうか。たとえばゴール下にパスさせないよう常にボールマンに2人が行って、ボールが移動したら、すぐに元のマッチアップに戻る。こういうことができたら、どんなチームだってシュートができないかもしれない。私はたまにやります、この選手は1人で守っていいけど、この選手だけは必ず2人で守れよと。

1対1であれば基本的にはオフェンスが勝ちます。どんなに優秀なディフェンダーであっても、同じ高校生であれば、やはりオフェンスのほうが前を向いているので、ディフェンスは不利なんです。でも2人で守ればディフェンスが勝てるかもしれない。そのときに残りの3人で4人を守らなければいけない。大変です。それでもゴール下のスペースをつぶしたり、相手の合わせをつぶして、ボールマンがボールを離した瞬間に5対5に戻れれば、ディフェンスの勝利です。しかもディフェンスには24秒、実質的には20秒くらいのショットクロックという味方がいます。ボールマンが触れたらターンオーバーになる「ライン」という味方もいます。であれば、相手をゼロ点に抑えることも不可能ではないかもしれません。バスケットではよく「相手をゼロ点に抑えることはできない」と言われますが、私の理想はゼロ点です。できればファウルもゼロ。その理想を追い求めているわけです。

私はワンゴールでも奪われたら悔しいんです。シュートを1本でも打たれたら悔しい。毎回24秒ヴァイオレーションで終わるのが理想です。相手も高い技術を持っているからボールは簡単に奪えない。ボールをなくすこともないだろうけど、やりたいことをやらせないようにすることはできるんじゃないか。

　2017年のウインターカップで井手拓実たちが福岡大学附属大濠に負けたとき、バム・アンゲイ・ジョナサンが5ファウルをしました。なかには不必要なファウルがいくつかありました。そこまで練習の中で追求していなかったんです。ディフェンスの練習をするときには多少ぶつかったって、頑張ったうえでのコンタクトだと容認していた。そこで「ファウルをするな」と言うと消極的になる。それが甘かった。だから次の年から、激しくディフェンスをしながらもファウルはするなと追求するようになりました。

　そういう意味でも、福岡第一のバスケットは近年でかなり磨かれてきた感があります。研ぎ澄まされてきたと言ってもいい。コートサイドで見ていて、ときどき「ああ、いいディフェンスだな」と思うことがあります。「よくローテーションしたな」、「よく追いついたな……パスが来るのがわかっていたのか？」と驚くほどの反応をできているときが、準決勝や決勝になればなるほど出てくるんです。決して特別なことをしているわけではありません。それこそデイブさんから教わったディフェンスのドリル……ディナイ、ヘルプ、1対1、シェルディフェンスくらいまでです。ただ、このシェルディフェンスのなかにバリエーションがいくつかあって、「ここを破られたときはここがヘルプして、お前のローテーションはこうだ」という約束事はいくつか作っています。

## 追求してきたバスケットがあったからこそ

基本を追求することで、福岡第一のディフェンス力は年々上がってきているように思います。ディフェンスといっても個人ディフェンスからチームディフェンスまで多岐に渡ります。そのなかで1人のディフェンスならあれとこれとそれができて、2人目がきたら、またあれとこれとそれができて……と、体が覚えてしまうくらい練習をしています。年間を通してそれらをしつこいくらいにやるから、ゾーンディフェンスを詳細に教え込む時間はほぼありません。オフェンスもファストブレイクを中心にやっていくから、セットオフェンスはさほど多くない。福岡第一が弱かったとき、勝てなかったときは、とにかくたくさん知っておかなければいけない、たくさん、しかもきっちり教えておかなければいけないという教え方をしていました。それが失敗だったんです。重富兄弟が2年生から3年生になるくらいにようやく福岡第一のバスケットが確立してきたように思います。

もちろんその後もマイナーチェンジはしています。以前は代が替わればバスケットスタイルもごっそり変えるようなイメージでした。でも、たとえばラーメン屋だったらラーメンだけでよかろうと。加えても餃子くらいです。昔はそこにカレーライスも出していたし、かつ丼も出していた。余計なことをして、結局中途半端な尻切れトンボになっていたんです。

今はマンツーマンディフェンスならマンツーマンディフェンスを、子どもたちが飽きるくらいまで練習して、考えなくても動けるところまでたどり着くようにしています。福岡第一のマンツーマンディフェンスはよく「ゾーンディフェンスみたいだ」と言われます。それくらいヘルプディフェンスのポジショニングや、動き出すタイミングが絶妙で、気がついたらトラップをして、ボールを奪っているからでしょう。それは私の指示ではなく、彼らが練習で培ってきた技術やコンビネーションを駆使して、彼ら自身で判断しているんです。彼らが判断し、実行することで、私自身も練習でやるべきことが絞れるようになってきました。

もちろんこの考え方、やり方がいいのかどうかはわかりません。単に視野が狭くなっているだけかもしれない。ただ実体験として、幅を広げて失敗した経験があるので、今はこれとこれとこれが福岡第一だよな、と行き着いたんです。

2019年のウインターカップ決勝、大濠との〝福岡県対決〟はまさに福岡第一が追求するバスケットを展開して、前半でゲームを決めてしまいました。後半、怒濤のように追い上げられましたが、私のなかでは前半でゲームを決めたと自負しています。

逆に準決勝の東山戦は、私の指示が悪かったこともあって、前半が重たくなってしまった。あれは私の責任です。さまざまな準備をしていたのですが、試合当日の朝になって、やっていないことに気づいたんです。東山の留学生、ムトンボ・ジャン・ピエールくん（日本体育大学。以下、ジャンピくん)を疲れさせる練習をやっていなかった。

今だから言いますが、シュートを決められたあとはスティーブを一度フロントコートのゴール近くまで走らせて、またすぐにフラッシュさせる。そうしてジャンピくんを2回動かす。彼が「いやだ、もう疲れた」という状況を作ろうと考えたんです。これは数年前に、同じく東山の留学生に対して使った戦術です。それを当日の朝に思い出して、ウォークスルーもするかしないかで、「こうして、こうして、こう動く。言っている意味、わかるだろ?」と口頭で伝えました。選手たちも「わかります」と言うので、そのまま試合に入った。私は彼らがやってくれると思ったのですが、試合が始まったら、スティーブが普通に動くんです。もちろん走っていたのだけど、伝えたこととは違う動きだった。だから「そうじゃないだろ!」と言ってしまった。そうしたらオフェンスが一気に重くなってしまったんですね。するとディフェンスの指示もあいまいになって、ガードの米須怜音くん(日本大学)は空けていいのか、いけないのか。シューターの脇坂凪人くん(京都産業大)には小川がついていて、彼は絶対に空けちゃいけないのに、小川がヘルプに行って、ノーマークになった脇坂くんの3ポイントシュートが決まる。

そのような流れになった原因はすべて私にあったんです。いつもと異なる動きをやるなら、当日の朝に1度でも練習をしておくべきでした。前の日と違うことをやろうとしているのだから、ハーフスピードでもやるべきだったんです。その練習をやらないなら、言わないほうがよかった。そうして彼らの力で、追求してきた福岡第一のバスケットをすれば、最初から5点くらいのリードで進んでいたかもしれません。でも実際にはそういう中途半端なことをやってしまったから、あれほどまでにリードされてしまったんです（第1Q 10－18、第2Q 18－20：前半28－38。最終的には71－59で勝利）。

いらんことを言わんときゃいいのに、急に監督みたいな顔をして、コーチングをしたがるな！　これは自戒です。ここまで彼らに任せてきていたのに、なぜあそこでコーチングをしたがったのか。そういう〝虫〟が湧いてくるわけです。それで何回も負けたことあろうが。そう自らを責めるしかありません。

後半は、我々のプレスディフェンスがうまく決まって、逆転することができました。もちろん東山も私たちがプレスディフェンスを仕掛けてくることはわかっていて、プレスディフェンスに対する運び方を練習していたはずです。10月におこなわれた交流大会「胎内カップ」で対戦したときには、プレスディフェンスにまったく引っ掛かりませんでしたから。

唯一、そのときと違いがあるとすれば、胎内での試合のあとに河村が「先生、相手の留学生がフラッシュで上がってくるから、スティーブが上がってくるゾーンプレスを練習してください」と言ってきたことです。背の高い留学生が中継に入って、腕を上げたら、「僕らチビでは届かないから」と。日本人のフラッシュだったら守りようがあるけど、留学生だとどうしようもないから、スティーブを上げてくださいと言うんです。

そうするとウチとしてもリスクが高まります。〝ゴールキーパー（オールコートで守ったときの一番後ろ、サッカーのゴールキーパーのように自陣のゴールを守る役割のこと）〟のスティーブを上げるということは失点のリスクも高まるし、キエキエ・トピー・アリはまだ下級生だったから、勝負のときにスティーブが出ていられるかわからない。だから相手の留学生が上がってくるところに、比較的背の高い神田を上げたり、ガードが寄ったりしていたんです。事前にそうした練習をしていたからこそ、相手の対策を上回って、うまく引っ掛けることができた。

しかも東山がタイムアウトを逡巡しているうちに、ウチのプレスディフェンスはさらに勢いを増していく。点差も一気に縮まっていく。


思えば県立能代工業が強かったときは、まさにそうでした。能代工が1本スティールをして、3ポイントシュートが決まって、決められたチームの監督が「え？　おい、しっかり運べ！」と言ったら、また取られて、3ポイント。一気に6失点。「おい！」って叫んでいる間に、3本目が決まって9失点。監督が慌ててタイムアウトを取ったときには、それまであった10数点のリードがひっくり返っているんです。あとは試合になりません。そうした光景を私たちはずっと見ているわけです。

周りの人は言っていました。「能代工はゾーンしかないじゃないか」、「あのプレスしかないじゃないか」、「3ポイントシュートだけだろう」と。でもどのチームもそれに負けていたんです。その理由が最近わかったような気がします。いろんなことをやるのではなく、これといったものをとことん磨いていく。日々の練習から厳しく磨き上げることで、その成果がゲームに出て、負けなかったということでしょう。

そうした雰囲気が、近年の福岡第一にも少しずつ生まれてきていたんです。2016年のウインターカップで中部大学第一（愛知）を逆転した試合や、帝京長岡（新潟）を再延長の末に下した試合があるから、福岡第一がゾーンプレスに来たときは、どのチームも注意すべきなんです。しかし東山はそれをやらせてしまった。同点くらいになって初めてタイムアウトを取ったから、こちらとしてはもう負けないだろうと思っていました。タイムアウトで子どもたちにこう言えばいいんです。

「お前らのほうが練習しているからな」

魔法の言葉です。練習量ではどこにも負けないと、私も、子どもたちも思っています。ですから、それを聞くと、彼らも「おお、俺たちはまだまだ全然走れる！」と勇気が湧いてきて、ギアがさらに一段上がるんです。嘘みたいなシュートも入る。河村の連続3ポイントシュート（一つ目はフリースローによる3ポイント）なんて、もちろん彼の個人練習の成果、努力の結晶ですが、あの場面でそれが来るか？　と驚くほどです。小川のシュートも「あ、ダメだ。そこで打つな～！」と思っていたら、パシャッと入ってしまう。

極めつけは内尾のディフェンスです。ギリギリのところだったけれども踏ん張って、そこから内尾と神田が走ってくれて……あのとき改めて「今年はこいつらでよかったんだ」と思いました。みんながそう思ったと思います。私の娘なんて「2019年の福岡第一はスティーブや勇輝、麻斗じゃないよね。壮一郎と聡理よね」って言っていましたから。わが子ながらよくわかっています(笑)。

## バスケットの魅力を最大限に生かす

ディフェンスにベースを置きながら、他方でバスケットボールはスピードのあるオフェンスが魅力のスポーツです。速さのあるプレーを教えていきたい。それは指導者になってずっと追求してきたところでもあります。

2004年の島根インターハイで初優勝したときや、その翌年、並里成が1年生でウインターカップを初制覇したときも「福岡第一は速い」と言われました。でも最近の子は当時の倍くらい速いですね。昔の映像を見ると、まるで歩いているように見えます。それでも速いと言われていたわけですから、重富兄弟や、河村と小川の時代になってくると、何か別次元になっているように感じます。ファストブレイクの力が増してきているのかなとも思います。相手も「来るぞ」とわかっていながら、そう簡単に止められるものではないくらいになってきたのでしょう。

特別なトレーニングをしているわけではありません。私自身が日本体育大でやってきた練習をベースに、アレンジを加えているだけです。たとえば5メンのリピートであればパスを限定したり、ディフェンスの仕方を限定したりして、トランジションの練習にする。そこにワンパスで飛ばすといった約束事を加えるくらいです。オフェンスは決まった動きをするので、ディフェンスはどうしても遅れてしまう。遅れるからワンパスが出せる。そんな細かいシチュエーションを作って、まるで女子を指導するように細かく、たくさん練習をしています。これくらいやっておけば、本番のゲームをするうえで身につけておいてほしいパスや走り方、シュートの持っていき方などはだいたい網羅できるだろうと思っています。

読む人によっては、私のやりたいバスケットを子どもたちに押しつけているだけではないか、と思われるかもしれません。ただ福岡第一でやっているバスケットをすれば、高校を卒業してからも、どのようにでも対応できるという自負はあります。

あれとこれとそれが福岡第一だと言いながら、一方でセットオフェンスもある程度の種類を持っていると思います。実際に使う種類はさほど多くないかもしれませんが、ゲームに応じてそれらをうまく使いこなしていくガードは大変でしょう。それでも3年生の最後のほうになると、私が何も言わなくてもガードが適切な指示をして、ここで得点を取りたいなと思っていたら、私の考えと一致するプレーコールをするところくらいまでは成長してくれます。

つまり福岡第一のバスケットは「走る」ところに根幹がありますが、それ以外のこともしっかり練習しているんです。対戦相手がやると思われるオフェンスやディフェンス、高校生が教わると思われることはすべてやります。ピック&ロールのオフェンスはもちろん、そのディフェンスも練習します。フレックスオフェンスもやるし、フレックスに対するディフェンスもやる。ゾーンディフェンスを攻めるには、ゾーンディフェンスの練習もしなければいけません。自分たちが使い込むほどまでは磨き上げていませんが、攻略するだけの基礎的な知識や動きは教えています。

少し手厳しいことを言わせていただくなら、今の日本の高校男子のバスケットはそれくらいのレベルです。私たちが時間をかけて、いろんな戦術やそれに対抗する練習をしても、それらを出さずに2018年と2019年は勝ちました。福岡第一のベースであるディフェンスからのファストブレイクと、いくつかのセットオフェンスだけで勝っているんです。しかもそのほとんどが前年と同じものです。それらが通用しなくなれば、私たちも次のステップに行きます。不遜に思われるかもしれませんが、そういうことなんです。

そう言いながら、「まえがき」で書いたとおり、2020年のウインターカップでは準々決勝で仙台大学附属明成に敗れました。大会3連覇を阻止されたわけですが、あれは私の采配ミスです。冷静さを欠いていました。その証拠に最終スコアは61－64とわずか3点差だったのですが、私としてはもっと負けているイメージだったんです。試合の内容的に、もっと離されていると思いながら、ベンチワークをしていた。そこが冷静じゃないんです。悪い内容ながらも3点差ってことは、采配ひとつで変えることできたわけです。しかし私のなかではアリがファウルアウトをしたくらいから、ずいぶん離れている点差を追いかけているイメージで試合をしていた。余裕がないわけですよね。そうしたら最後の最後にハーパージャン・ローレンス・ジュニアがケガをした。負のスパイラルです。負けるときは往々にしてそういうことになるのですが、改めて自省を促される敗戦だったと思います。

それでも言わせていただくとすれば、この章の序盤でも少し触れたとおり、福岡第一のファストブレイクは、「来るぞ」とわかっていても、簡単には止められないと思います。止めるためには相当頑張らないといけない。前に向かって走ることを鍛えるより、後ろ向きに走ることを鍛える方が大変なんです。止めようと思ったら、後ろ向きに全力で走って戻らなければいけない。福岡第一と戦うにはこの「戻る」ことを頑張れるよう、鍛えなければいけないんです。それができるチームは強いなと思います。2017年の福岡大学附属大濠はそれを徹底したチームでした。私たちに速攻を出させないことを頑張れたからこそ、私たちは彼らに勝てなかった。

もちろんそれに気づいているチームもあるでしょう。それでも止められないのは、素早く戻らない選手がいるからです。1人でも戻りを頑張れない選手がいると、我々からすると5対4です。アウトナンバーですから得点は取りやすい。しかも2019年のスティーブのようなビッグマンが先頭を切って、ペイントエリアに走り込んでいきます。ディフェンスはゴールに近い彼を守らざるを得ないから、ほかの誰かが必ずノーマークになる。そのシュートを決めれば負けないわけです。

シュートは水物だと言われます。決まるときもあれば、決まらないときもある。それでもやはりシュートを決めなければ勝てないと気づかせてくれたのも、やはり大濠でした。

2017年の大濠は戻りの速さもさることながら、徹底的にゾーンディフェンスを敷いてきていました。ゲームの最初からまったく動かないようなゾーンをされたこともあります。そこで思ったのは「シュートは絶対に決められるようにせんといかん」ということでした。そこから練習後の「1時間シューティング」が始まるんです。チーム練習の後にいったん寮に戻して、晩ご飯を食べさせてから20時から21時まで。2018年、松崎たちの代から続けています。

相手がゾーンディフェンスを敷いてきたら、その瞬間に松崎や河村、小川、内尾、神田まで全員の3ポイントシュートが入る。2020年であればジュニアや砂川琉勇、松本宗志、當山修悟(専修大学)らの3ポイントシュートが入る。それを守ろうとディフェンスが前に出てきたら、ドライブで破る。ヘルプに来れば、ゴール付近でスティーブやアリに合わせられる。そうなると相手は守りようがないわけです。

## ライバル、福岡大学附属大濠の存在

福岡大学附属大濠の話が出てきたので、ここで彼らとの関係について、お話ししましょう。彼らとの関係を知りたい読者も多いかもしれません。

同校とはライバル関係だと言われますが、まさにその通りです。学校単位、バスケット部単位の話だけではありません。福岡県の経済界を含め、県内のあらゆることにおいて福岡第一が属している学校法人都築学園は、いわば〝野党〟です。大濠が所属している学校法人福岡大学は〝与党〟。世間的な評価は福岡大学のほうがずいぶん上なんだけれども、だからこそ野党としてはぶつかっていこうとします。大濠に勝つと校長(理事長)も喜ぶわけです。表現はよくありませんが、バスケットボールというたかが〝ボール遊び〟が、それくらい大きなことに発展しているわけです。

個人的にも、さまざまな因縁があります。

最初の因縁は私が中学生のときまで遡ります。決して強かったわけではありませんが、中学でバスケットの楽しさにどっぷりと浸かった私が目指すところは、当然、当時から強かった大濠でした。ただ福岡県の一般的な考え方はまず公立です。多くの中学生が公立高校への進学を目指して、そこがダメだったときに私立へ行く。地方ではよくある話です。

私は勉強ができないほうではなかったし、生徒会長もしていたので、県内のランキングで1番か、2番の県立高校を目指そうとしていました。しかし、どうも1番は怪しい。当時お付き合いをしていた女性は1番を確実に通る力を持っていましたが、私には難しいかもしれない。若い2人はこっそり話し合い、一緒に県立の2番に行こうと決めました。落ちました(笑)。彼女は受かったのですが、私だけ県立の2番にも落ちてしまったんです。落ち込みながらも、切り替えなければいけません。目指すところは大濠です。

実は同じ中学のバスケット部に足の速い子がいて、彼は駅伝で大濠にスカウトされたんです。うらやましかった。彼以外のメンバーも、勉強がやや苦手だったこともあって、先生がいい条件で私学に入れようと奔走してくださっていました。私はバスケットでスカウトされる力もなかったし、一方でそこそこの学力はあったので、先生も「井手口、おまえは勉強で高校に行け」と言って、チームメイトのようなサポートをしてくださらなかった。そのうえで県立に落ちてしまったから、もうこれは自力で大濠に行くしかありません。

しかし、すぐ目の前に大きな壁が待ち構えていたんです。母です。母が「大濠だけには行くな。大濠だったら、高校には行かせん」と言ってきた。その母もすでに亡くなっているので、詳しい理由はわかりません。私たちのころはすでに大濠もいい学校だったのですが、母が学生のころはすこしヤンチャな学校だったそうです。その印象があったのかもしれません。また母の姉の子、私にとってのいとこが大濠に通っていて、よくない話を聞いたのかもしれません。理由はいまもわかりませんが、それで私は自身が行きたいと思っていた大濠には行けず、ミッション系のクリスチャンスクール、西南学院高校に進むわけです。

そこでなんとなく今の人生が決まっていたのかもしれません。母が大濠への進学を許してくれていたら、私は田中國明先生(故人)の教え子になっていたわけです。そうしたら、どうなっていたでしょう。少なくとも福岡第一にはいなかったと思います。

因縁のきっかけはそこにあるのかもしれません。

指導者になってから、特に福岡第一で男子バスケット部を作ってからも、当初は何事もなかったんです。大濠からすると福岡第一など相手にならない、弱いチームでしたから。

ただ私たちが初めてインターハイに行った1998年から少しずつ風向きが変わり始めました。勝った、負けたという結果からではありません。その年、私は国民体育大会(国体)の福岡県選抜・少年男子の監督に指名されたんです。その2年前まで田中先生が監督をされていたのですが、福岡県バスケットボール協会内のゴタゴタに巻き込まれて、その任を解かれていたんですね。そんななかでの指名だったので、私としても「いいのかな?」と思いつつ、梅野哲雄会長から「いいから、やれ」と言われて、引き受けました。

すると田中先生を支持する先生たちからも言われるわけです。「なんで、おまえがやるか？　断れ」

私としては、たとえ大会の駐車場係であっても「やれ」と言われればやります。それがたまたま国体の監督だっただけです。やりたいと思っていた仕事でもあったし、「なんで断らんといけんとですか？　やります」。そこから高校進学以来の因縁が再燃するわけです。

私は信念のひとつとして、「やれ」と言われた仕事については絶対に「ノー」と言わないと決めています。周りの人が見て、「井手口ならできる」と判断してくれていることだから、それはやるべきだと思うんです。ただ自分から「やりたい」とは言わない。国体の監督もそうでした。自分からやりたいと言ったのではなく、会長からやれと言われたから引き受けたんです。

その後、福岡第一でも教頭になり、今は校長代理になり、福岡県バスケットボール協会の理事長も務めています。そうした役職もすべて学校や協会から求められて、引き受けています。アンダーカテゴリーの日本代表コーチもそうでした。自分から求めたわけではありません。井手口がゴマをすってやらせてもらっているように見えるかもしれませんが、私自身のポリシーとして「欲しがらない」と決めているんです。

そんな経緯で国体の監督になったのですが、当時は大濠の選手をメンバーに選んでも練習に来てくれない。福岡第一の子たちだけで練習をしたこともあります。あとで理由を聞くと「その日は中学生が練習に来ていた」と言うわけです。そんなことがずっと続くんです。

ただ故人の名誉のために言えば、それが田中先生の生き方だったんです。梅野会長もそう。昭和の苦しい時代を生き抜いてきた方々は、敵と思ったら一生敵という考え方を持っているのでしょう。私も中学生のときに大濠に行きたいと思っていたわけですから、バスケットの指導者としての田中先生は尊敬しているところもありました。ただ、人として相容れないところがあったのも事実です。だから今も、大会以外で大濠の体育館に行ったことはありません。中村学園女子時代には行ったことはありますが、福岡第一に移ってからは一度もありません。

## 留学生の年齢詐称問題

大濠との溝をさらに深めたのが、留学生の年齢詐称問題です。あれは大濠だけでなく、全国のいくつかの学校が、表現は適切ではないかもしれませんが、手を組んでいたんです。とにかく当時は留学生が目の敵にされていました。何かあればすぐに大騒ぎです。新聞に載る。しかも翌日が試合だとか、今週はしっかり練習をしなければいけないと思うタイミングで掲載されるわけです。当然、学校側は対応しなければいけないので、教頭が私を呼ぶ。そうすると指揮官不在となったチームは質の高い練習ができませんでした。

そうしたことが重なって、最後にドンと出されたのが２０１１年だったと思います。その年は母が亡くなったこともあって、ただでさえ、まともな練習ができない年でした。いろんなことが積もりに積もった時期の年齢詐称問題です。東京・六本木にある国際弁護士の事務所に何度行ったことか。セネガルにも行きました。

先ほども書いたとおり、福岡県内では学校法人としての都築学園（福岡第一）と福岡大学（大濠）がライバル関係にあります。校長（理事長）はまるで映画『極道の妻たち』に出てくる女優の岩下志麻さんのような人で、留学生の問題が出たときも「井手口さん、責任をとって、辞めなさい」とは言いません。

「あ？　大濠がケンカを売ってきたと？　よし、買うよ」

福岡第一は、男子バスケット部が留学生を受け入れる以前からずっと留学生教育に取り組んできた学校です。それだけの実績も自負もある。校長としては「私たちが30年やってきたことにイチャモンをつける気ね？　和解金が1億や2億じゃ許さんよ。井手口さん、あんた、セネガルに行って、証拠を取ってきんさい」

セネガルに行って、セネガルバスケットボール協会など関係各所を回りました。そこで「大丈夫、彼の生年月日は間違いない」という証拠を持ち帰ってきました。それでいったんは鎮火したわけです。田中先生も「今後は一切言いません」という和解文を出してくれた。

しかしそれが全国高校体育連盟（高体連）に飛び火してしまった。私が持ってきた証拠を覆す人が出てきたんです。彼らもまたセネガルに行って、新しい証拠が出てきたと言うわけです。失礼ながら、どうにでもなるお国柄なんです。ただそのときはすでに私たちも蚊帳の外でした。弁護士同士で話し合って、一応の決着をつけたようです。

私が使っている教官室には全国大会の歴代表彰状が並べてありますが、2004年のインターハイ優勝の賞状は返納して、そこだけスペースが空いています。高松宮杯の盾に刻まれている優勝校名も「福岡第一」と彫られた上から、準優勝だった北陸のシールが貼られています。

最後に校長に言われました。

「あんたがもうちょっと勝たんけんたい。いい。賞状の1枚くらい返してこい。また勝ったらよかろうもん」

近年、FIBA(国際バスケットボール連盟)が国を越えての移籍に関してルールを厳格化しました。留学生も同じ扱いです。1人につき約40万円を出身国の連盟に支払わないといけない。それを校長に伝えたときも「法的に間違ってないか、弁護士に確認しなさい」。そう言うと、さらに火がついたようで「そんないじわるなことを、誰がしようがわからんけど、またどうせ大濠がしよっちゃないと?」と言う始末。もちろん大濠は関係ありません。

「そうやってまた留学生を排除しようとしとっちゃないとね? そんなんに負けたらつまらん。もう10人でも、20人でも連れてこい！」
福岡第一が誇る侠気に富んだ女性校長に私は救われました。

## 切磋琢磨しながらも、負けたくない相手

大濠との関係はその後、今に至るまでかなり改善されています。そこには多くの方々の尽力もありました。現在、大濠のバスケット部を指揮している片峯聡太監督がまだ高校生だった頃、我々は留学生を擁して日本一になっています。大濠はウインターカップに出られなかったわけですね。田中先生がヒートアップしている時期です。

そんなときに片峯監督のお父さん（現・飯塚市長）が私のところに来て「先生、ごめんね。じいちゃん（田中先生）が熱くなってごめんね。許してやってね」と言ってこられたんです。逆に「これからも聡太を頼むね」と言われるほどでした。

田中先生の退職祝いの会が開かれたときは、２０２０年度で定年退職を迎えられ、新たにライジングゼファー福岡の取締役育成部長に就任された鶴我隆博先生をはじめ、数名の大濠ＯＢの方が「来てほしい」というので、出席させていただきました。そのときも片峯監督のお父さんから「ありがとう」と言ってもらいました。

2019年のウインターカップの決勝戦で大濠と対戦したときもそうです。試合前、片峯監督のお父さんと握手をしたら、涙があふれてきました。それを見ていた妻から「あんた、試合の前から泣かんとよ」なんて言われましたね。

それほど周りの人たちは、なんとかいい関係にしたかったわけです。

ただ、田中先生がご存命のうちは、特に片峯監督に禅譲する前は試合が終わってもお互い握手さえしませんでした。私が握手に行こうとすると、スッと逃げていく。そうすると周りから私が言われるんです。「どうなっているんだ」。なかには「おまえがもっと下から行かんといけん」と言う人もいました。でも私にも意地があります。国体の監督から始まって、留学生の問題まで、ことあるごとに苦しまされてきました。もちろん試合のときくらいは、監督という名の演出家ですから、応援してくださる観客の前で握手くらいすべきだと思うんです。だから近づいていったんですが、当時の田中先生はそうではありませんでした。

それでも数年前、卒業式の前日にライジング福岡(現・ライジングゼファー福岡)の前座で大濠と試合をしたときに、私と片峯監督で田中先生を挟んで写真を撮りました。生徒も一緒です。

2018年に田中先生が急逝されるわけですが、その少し前くらいからは私が考えを緩めて、私から挨拶に行くようにしました。それまでは同じステージ上に座っていても、挨拶さえしていませんでしたが、片峯監督の代になってきたので「おはようございます」と言うようにしました。田中先生も「おう！」くらいに返してくれるようにはなりましたね。
今は大濠の子たちも福岡第一の体育館に来ます。国体の練習時に「ほかの選手も連れておいで」と誘って、練習試合をしたこともあります。他校が練習試合に来るときも、福岡第一だけで賄いきれないときは大濠を誘ったり、どちらも練習試合があるときは土日で対戦校を入れ換えたりしています。「ちょっと多く試合をやり過ぎたから、聡太のとこに行かせていい？」と連絡して、都合が合えば「今から大濠に行って」と行ってもらうこともしています。福岡第一にとっても、大濠にとっても、そして対戦する高校にとっても、異なるチームと対戦することができるのでプラスになります。今はそういう関係になりつつあります。

それでも今なお、絶対に負けたくない筆頭が大濠であることは間違いありません。大会のシステムが変わって、少なくともインターハイは一校しか出られません。彼らに勝てなければ私たちも出られないわけです。ライバル心は今もありますし、リクルートを含めてすべてにおいて一番意識しているのは大濠です。仙台大学附属明成でもなければ、開志国際でもない。福岡大学附属大濠なんです。心の底で「大濠にはいい選手が来てくれるな」と思うこともあります。でも彼らよりも強いチームを作ればいいんだなという気持ちにさせてくれるのも、やはり大濠なんです。

## 「負けたら辞表」で挑んだ福岡県同士の決勝戦

その一方で、近年であれば九州ブロック大会で優勝したり、インターハイに出たほうが決勝戦に進むことで福岡県のウインターカップ出場枠が増えます。だからお互い「大濠、頑張れ！」、「第一、頑張れ！」と思えるようにもなってきている。2019年のウインターカップで史上初の福岡県同士による決勝戦になったのは、お互いが切磋琢磨した結果だと思っています。

その試合も、本音を言えば、やりたくはなかった。できることなら「大濠、早く負けてくれ」と思っていました。もちろん周囲には「福岡県同士で決勝戦をやりたい」と言っていました。福岡県予選が終わったときも「ウインターカップでは福岡県同士で決勝戦をやります」なんて宣言をしているんです。それくらいの気持ちはありました。実現したらすごいなとも思っていました。でもいざ、実現するかもしれないとなったとき、負けたあとのことも考えてしまうんです。それは、その2年前、2017年のウインターカップ準決勝で大濠に負けたことに起因します。2005年の千葉インターハイでも準決勝で負けています。全国のバスケットファンが見ている前で大濠に負けることは、私にとっていわば〝公開処刑〟のようなものなんです。

2019年のウインターカップで福岡大学附属大濠が2回戦で開志国際に勝ったときに、逆のブロックから「決勝戦に進むのは大濠だろう」と予想していました。それほど大濠の状態がよかった。

その日から私の頭のなかには決勝戦しかありません。もちろん目の前の相手とも必死に戦うんだけれども、頭のどこかに必ず大濠との決勝戦がチラつくわけです。「どうしよう？　俺が先に負けようかな」と思ったこともあります。失礼な話ですけど、我々をライバル視してくれていた東山に負けたらいいんじゃないか。東山との試合が始まるまで、それくらいの気持ちになっていたほどです。

大濠、負けないな……負けないな……。そう思いながら、東山と対戦したとき、前記のとおり、私はミスを犯してしまった。結果的に勝ったわけですが、チームの状態がガクッと落ちてしまったんです。大濠の調子は上向いたままです。勢いは完全に大濠でした。

しかも決勝戦の前夜、準決勝のあとに日本体育大へストレッチとシューティングをしに行ったとき、河村が足を痛めてしまったんです。バスを降りた瞬間に「足が攣りました」と。実際には軽い肉離れでした。これまで、ちょっとしたケガをしたときに「アイシングをしていろ」と言っても「大丈夫です」と練習を続けていた河村が、その日は練習をしなかった。「ああ、ここまで風邪とケガ、ファウルも我慢して決勝戦を迎えられるっていうのに、このタイミングで明日は河村抜きか。もういい。それでも河村がいると思って作戦を考えよう」。そう思って、翌朝河村に「どうだ？」って聞いたら「大丈夫です」と。それでも40分は無理かなと思いながらの決勝戦でした。

話は逸れましたが、それほどまでに大濠との決勝戦は私を苦しめていた。ただ、その数日前に決めたんです――決勝戦で大濠に負けたら辞表を出そう。

2年前の準決勝で大濠に敗れたあと、校長から厳しく言われました。「あんた、どこに負けたかわかっとぉね？」。校長にとって、都築学園と福岡大学のライバル心はそれくらい強いものです。

それがあったからこそ、2019年のウインターカップで大濠が勝ち上がるたびに苦しんだんです。でも「負けたら辞表だ」と思ったらすっきりした。負けたら言い訳をしなければいけない。新聞にも書かれる。記者の質問にも答えなければいけない。それが怖かった。負けることが怖かったのではありません。負けた瞬間はお互いに「ナイスゲーム」と言い合える間柄になっていたのですが、負けたあと、学校で申し開きをしなければいけないことが怖かったんです。でも、負けたら「すいません。辞表を出します」。これでいい。それで終わると思ったら、心が穏やかになって、やっと試合に向き合えるようになりました。

結果的には私たちが勝って、試合後、子どもたちもお互いが抱き合っていました。その光景は前年、2018年のウインターカップ福岡県予選に戻るんです。松崎たちの代で、大接戦の末に私たちが勝って、大濠はウインターカップに出られなかった。

さらにその年の夏はインターハイとU18アジア選手権の日程が重なってしまった。福岡第一も大濠もU18日本代表に多くの選手を出していて、それもあってインターハイでは勝てなかった。にもかかわらず、杓子定規にインターハイでの結果でウインターカップの枠を決めるのはどうなのか。

私自身、アンダーカテゴリーの日本代表コーチを経験したことがあるので、代表に選手を出さないとは言えない。でも、そうしたチームへの何らかの救済措置があってもいいだろう？　私はそのことをずっと言い続けてきました。でも救済措置はなかった。

結果としてウインターカップに出られなかった大濠は悔しい思いを抱えていたはずです。それが2019年のウインターカップで決勝戦まで勝ち上がってみせた、彼らの意地だったと思います。

田中先生との確執もありましたし、留学生問題もありました。しかし今はその関係が少しずつよい方向に変わりつつあって、特に福岡県の人々はすごく評価してくださっています。地元紙もよく取り上げてくださいます。

ただ校長だけは今も「あんた、わかっとぉね？」

2019年のウインターカップで優勝したとき、相手が彼らだったこともありますけど、記者会見で大濠の話をし

史上初の福岡県同士の決勝戦を制し、ウインターカップ2連覇を達成

ました。そうしたら「あんた、大濠のことを言い過ぎったい。なんでそんなに立てないといけんね？あんなにいじわるされて、いやな思いもしてきたのに、なんで立てないけんとね？」

そう言いながらも、先ほどから出ている片峯監督のお父さんは福岡第一と同じ系列の第一薬科大学の卒業生なんです。お母さんもそうです。つまり校長からすると片峯監督のご両親は教え子でもあるわけです。片峯「飯塚市長」が誕生したときには一番にお花を持っていっています。そこで「あんた、いい加減、息子（片峯監督）に井手口さんをいじめんこと言うとかなよ（いじめないように言っておきなさいよ）」と告げたそうです。いい関係なんですよ。片峯家に関してはよくわかっているから、私にも片峯監督のことを「どうね、あの息子も頑張りよぉね？」って聞くくらいです。福岡第一が誇る校長は義理人情には厚い女性です。ただ勝負には絶対負けてはいけない、という強い信念を持つ女性でもあるんです。

## 目標は常に日本一

大濠の話が長くなりすぎました。また校長に怒られそうです（笑）。

今の福岡第一の目標は常に日本一です。そこは変わらないし、変えてはいけないと思っています。最近では冗談のように「B・LEAGUEのチームに勝つぞ」と言っていますが、最大の目標は高校日本一です。

留学生を受け入れたときから、彼らがいる以上、日本一が当たり前にならないとダメだと思ってきました。近年では才能豊かな選手も来てくれますから、「高校で勝った、負けたなんて言ってるのはおかしいかろう?」と選手たちに伝えています。なぜなら彼らは大学生より練習しているんです。クラブチームよりも練習をしている。であれば負けないのではないか。よく「練習が大事だ」と言いますよね。それが事実であれば、「一番練習している俺たちが勝つんじゃないか」。そう伝えています。2019年の天皇杯で千葉ジェッツと対戦したときも、きちんと戦おうと言いました。ただ対戦して終わるんじゃなくて、真面目に勝つつもりでやろうと。

それはやはり高校のバスケット部で監督をしているからです。私個人がより高いところを目指していて、たとえば大学のコーチにキャリアアップするとか、プロのコーチになるという目標があれば別です。しかし福岡第一高校で監督をやっている限りは、常に真剣勝負、常に勝利を目標にします。

もちろんリクルートがうまくいかなくて、期待していた選手が来てくれなくて、チームのレベルが下がることもあると思います。そのときはそのレベルに合わせないといけない。いったん、ではありますけど、そう思っています。その子たちが最大限の力を出して、目指せるところに目標を設定してあげたらいい。

夢を語ることはいいと思うんです。「目標は日本一だよ」とか、「先生は日本一になったことがあるから、みんなもそこを目指そうね」と言うことはできる。しかし、まだ1回戦しか勝ったことがない、もしくは1回戦も勝ったことのない子どもたちにとっては、まず1回戦を勝つことが目標です。指導者自身が子どもたちのところに降りていって、1回戦を勝ったら2回戦ね、次はベスト4ねと、うまく引っ張り上げられたらいいのかなと。かつての私がそうでしたし、今でもそれはやれると思っています。

それがいやだったら辞める選択肢もあると思います。日本一の選手たちを集められないなら、集められる学校に行くという選択肢もあるでしょう。ただ、もし選手を集めるところまでがコーチングだというのであれば、集められないのは指導者に力がないことになります。逆にいい選手が来たところで終わっているコーチもたくさんいます。彼らを鍛えろよ、せっかく才能のある彼らを入れたんだから、しっかり鍛えろよと言いたくなるチームもあります。

初めての留学生だったティアノ（ディアン・ティエルノ・セイドゥ・ヌロ）たちが来たとき、さぁ、どうするかと考えました。最初はダッシュで何往復もする脚力がないから、彼らがオフェンスに来るのを待とうと考えたこともあります。彼らを待って、ペイントエリアに1度ボールを入れてから攻めろと言っていた時期もありました。でもティアノたちがある程度走れるようになってきたと判断したら、彼らにも「走れ。お前ら、全員走れ」です。最後はティアノがブロックショットをして、走って、シュートを決めて、また帰ってきてブロックショット。その一往復半で、相手に「ああ、もう勝てないな」みたいな思いにさせたこともあります。スティーブもそういうところがあったけど、そうしたプレーを留学生がしてくれると、チームがひとつになるんです。

日本一が目標の基準になっていますが、もちろん簡単になれるものではありません。なれるものではないというか、一般的に言えば全国で準優勝やベスト4でもいい結果です。それでも「負けた」としか言えないのは、ある意味で残念でもあるんです。

2007年から2010年まで、ウインターカップの決勝戦まで行きながら、4年連続で準優勝だったことがあります。あのときは決勝戦に勝ち上がったことで少し安心してしまったところもありました。最後まで試合ができると思って、そこで終わってしまった。私自身の詰めが甘かったんです。最近は決勝戦の前夜に一番気合いが入るというか、より慎重になるんだけど、あのころは「決勝に行った。よかった」という安堵感が出ていた。それがきっと子どもたちに緊張感の緩和や悪いリズムを生んでいたのでしょう。

指導者の心の持ち方って生徒たちに如実に伝わるものです。特に今の時代はより強く伝わるような気がします。

狩野祐介が3年生の頃、私自身も学校の仕事に忙殺されていました。担任あり、学年主任あり、生徒指導もあって、練習に行けない日が多かったんです。そのあとは生徒指導部長にもなって、練習よりも学年のことや学校のことが仕事の大半を占めた時期もありました。ただ、その時期はある面で子どもたちのほうが自立していたかもしれません。私がいなくてもキャプテンとマネージャーを中心に練習が始められていたほどです。今は私がいないと練習が始まりません。特に2020年からは授業もなくなり、ほとんど体育館にいられるようになって、むしろいない日のほうが稀だから、今日はシューティングで終わろうとか、トレーニングだけで終わろうと、私が判断できる。だから今の子どもたちのほうが依存性は高いかもしれません。狩野たちのころ、もう少し練習ができていたら、準優勝で終わった4年間も、もしかしたら4連勝できたのかなと思うこともあります。

しかも、あのころは東京に入って留学生が前十字靱帯を切るなんてことが2度ありました。最初はインターハイで優勝した2009年です。ビラ(セック・エルハジ イブラヒマ)が初戦で前十字靱帯を切ったので、福岡からドクターを呼び寄せました。注射まで打ってもらって、どうにか準決勝の東海大相模(神奈川)戦には出したけど、ワンプレーでまたガクッとなってしまって、後半は怖くて出せませんでした。田中光(横川電機)や下級生のセンターが頑張ってくれて決勝戦まで行ったのですが、明成の初優勝を止めることはできませんでした。

2度目は鵤《いかるが》誠司(宇都宮ブレックス)が3年生だった2011年です。日本体育大で練習していたら、マリック(ゲエイ・エルハジ マリック)がやはり前十字靱帯を切ってしまいました。幕張総合高校(千葉)の飯沼加寿夫先生に相談したら「群馬にいい治療家のオバちゃんがいるぞ。あのオバちゃんなら治せる」と教えてくれたんです。すぐに群馬のオバちゃんのところに行って、治療をしてもらいました。翌日、オバちゃんも試合会場に来られたみたいなんだけど、やっぱり怖くて出せなかった。初戦は尽誠学園(香川)です。勝てると思っていたし、なんとか他の子たちで踏みとどまると思っていたら、笠井康平くん(群馬クレインサンダース)が37得点、渡邉雄太くん(NBA/トロント・ラプターズ)が29得点です。前日の試合に笠井くんは出ていなかったんです。どこかを痛めたと。やられましたね。完全に色摩拓也先生の策略にやられました。あのときの尽誠学園とは10回も、20回も練習試合をやっていたけど、1回も負けていないんです。

何もわざわざ東京に行ってケガをせんでもいいだろうと思いましたよ。たぶん呪われていたんでしょう。校長曰く、「井手口さん、必勝祈願をするってことは相手を呪うことなのよ。相手は打倒・井手口だとか、打倒・福岡第一だとか思っているわけだから、そういう思いに負けたのよ……あんたの祈りが足りんったい!」って言われましたね(笑)。

チームをよりよく、より強くするためにはいろんなことをしました。チームを創設したころはモチベーターに来てもらったこともあります。それこそ原田裕作(飛龍高校監督)たちのころはまだ日本人だけで「打倒、大濠!」を目標にしていましたから、ウインターカップに出ていないわけです。インターハイには出られたけど、ウインターカップにも出られるようにしたい。そう思って、モチベーターの方に来ていただいて、チームの目標設定をしたり、SMI(サクセス・モチベーション・インターナショナル。アメリカで考案されたモチベーションプログラム)をやっていたこともあります。何十万円もするカセットテープを買って、みんなで目標設定の方法などを聞いていました。SMIの人が昼休みに来てくれて、選手を集めて、「ナントカカントカナンバーワン!」って呪文みたいなことも唱えて、その気にさせていくんです。いいと思われるものはなんでもやりました。これを食べたら足が速くなるって聞いたら、それを食べろって言った時期もありましたね(笑)。

## 留学生をみんなで育てていく

高校バスケットは、15歳から18歳の子どもを預かって、どうにかしなさいというのがテーマです。福岡第一は創部当初から全員が同じメニューをやっています。それは2021年、部員が100人に到達しても変わりません。もちろん練習の回し方は考えますけど、やっている内容はみんな同じです。留学生だから走らなくていいという理由はないし、留学生だから遅刻していいという理由もない。もちろん掃除しなくていい理由もありません。福岡第一で預かっている同じ高校生ですから、みんな一緒です。

ポジション別に分かれて練習をおこなうこともありますが、ボールハンドリングの前には、ボディコントロールの練習も必要です。スキルというとすぐにボールから始めがちですけど、ボールを持っていないスキル、体の使い方もあると考えます。そういうところから一緒に、大きい子も小さい子もやっていく必要があると思っています。

バスケットは大きい子が有利だと言われますが、大きい子のほうが、時間がかかるんです。彼らのほうがドリブルのメニューが増えたり、動きのメニューが増えたりするべきなんです。小さい子はできる。でも大きい子たちはなかなかできないから、個人練習でもただシュートを打つだけではなく、ドリブルや動きを加えたりします。昔からやっていることです。そうしておいて、小さい子たちに「大きい子を走らせろ」と言います。やはり大きい子が走ってくれるとチームとしても助かりますから。福岡第一では常に大きい子を走らせるバスケットをしているんです。

留学生も来日当初はビックリしていましたよ。「先生、なんで走るの？」と聞いてきたほどです。シュートを決められたあとのアーリーオフェンスをやると、「セネガルではシュートを決められたら、ゆっくり持ってきて、ゆっくり攻めるんだ」。「そうね。でもウチはそうじゃないんだ」と説明します。最近でこそ、留学生の先輩たちが福岡第一の走るバスケットをやっているから、後から入ってきた下級生も走るんだなと思いながらやってくれています。昔はその説明から始めなければいけなかったんです。

いつだったか、全国の留学生の間で「福岡第一はバカみたいに練習させるぞ」という話が広がっていると聞いたことがあります。仲介をしてくださっているエージェントさえも「井手口先生は上手な選手が嫌いなんでしょう?」と言ってきますから。「発展途上の選手を厳しく鍛えるのが好きなんでしょう?」と。いや、私だってカロンジ・カボンゴ・パトリックくん(東山~近畿大学)や、タヒロウ・ディアビトくん(帝京長岡~ポートランド大学)のような才能にあふれる留学生に来てもらいたいですよ。でも実際にそういう子たちが来たら、私とケンカになっていたと思います。

熊吉(ション・ジ/福岡第一~日本大学。大学卒業後、中国に帰国)なんて、並里がパスしたら「取れません」と言っていました。並里に「取れよ」と言われて「取れません」と答えていたくらいの選手です。それが日本大学に進学して、インカレの優勝まで経験するわけです。福岡第一の練習も決して無駄ではなかったと思ってくれているでしょう。

2020年は留学生が4人いました。しかし公式戦でベンチに入れるのは2人まで、コートに立てるのは1人までです。ただ日々の練習を考えると、4人の留学生がいれば4つのチームを作れることになります。20人のAチームを作るために留学生が4人もいることは確かに贅沢だけど、きちんとした練習をするために必要な人材でもあります。

とはいえ、1年生の留学生はすぐに戦力にはなりません。そこで重要になってくるのが同級生です。2020年であればガードの轟琉維や城戸賢心などが同学年の留学生と一緒に成長していく。彼ら日本人のガードにはいつも言っているんです。「留学生をうまくするのはお前たちだ」と。「留学生は下手なんだ。勘違いするな。特にウチにくる留学生は、なぜだか知らないけど、下手な子が来るんだ」と言っています。だから「留学生がうまくならなかったら、お前たちガードの力がないってことになるんだぞ」と言うようにしています。

スティーブが最初からうまかったかというと、決してそうではありません。やはり河村と小川がいたから、チームの柱になれたんです。必ずそうなります。複数の留学生がいることは確かに贅沢だけれども、留学生だから必ず試合に出られるわけではないし、彼らであってもケガをしたときは無理をさせられませんから。

## 小さい子でも生きる道がある

サイズのある留学生がいる一方で、福岡第一ではサイズの小さいガードも起用しています。最近で言えば、２０１６年の重富友希と周希、２０１９年の河村勇輝と小川麻斗のような「ツーガード」が代表的な例としてわかりやすいでしょうか。

日本が世界で戦うためにガードを大きくしよう。そんなことは40年くらい前からずっと言われてきていることです。でも実際にできていないのが現実です。２０１９年のワールドカップだって、日本代表には篠山竜青（１７８センチ／川崎ブレイブサンダース）がいて、ケガで出られなかったけど富樫勇樹（167センチ／千葉ジェッツ）も直前まで選ばれていたわけでしょう。

サイズのある子をポイントガードにしたいのであれば、ミニバスのルールを変えたほうがいいと思います。発育発達なんてどうなるかわからないわけですから、全員がポイントガードになるようにルール化すればいい。しかし実際には大きい子がセンターにさせられています。中学生以下にゾーンディフェンス禁止のルールが採用されたことだって、そのためだと思っています。ゾーンディフェンスだと大きい子がじっとして動かないから、マンツーマンにしなさいと。ならばディフェンスだけではなく、オフェンスもルールを変えていくべきだと思うんです。

いや、コンバートすればいいじゃないかと言われるかもしれません。でも簡単なことではないんです。野球にたとえるとわかりやすいと思います。やったことのない人にいきなり「キャッチャーをやれ」というのは難しいでしょう？　ピッチャーやキャッチャーから内野手、外野手にコンバートするることは比較的たやすいと思うんですけど、逆のコンバートはなかなか難しいと思います。バスケットでもセンターからポイントガードになるのはそれくらい難しいんです。

小さい選手であっても運動量が大きい選手の2倍も3倍もあって、シュート力が2倍も3倍もあって、バスケットに対する知識や頭脳があれば生きる道はあります。それらは絶対に必要なことですから。日本代表クラスになれば、監督によっては、小さい選手は必要ないと判断されるかもしれないけど、日本のほとんどのチームには必要な選手だと思っています。むしろ日本人の特性を考えていくと、ベンチ入りする12人のうち2人くらいは小さい選手がいてもいいはずなんです。

するとミスマッチはどうするんだ？　と言う方もいるかもしれません。でもたいして気にならないと思います。というのも、相手のポイントガードが毎回リバウンドにくるでしょうか？　河村が相手だからといって、毎回ポイントガードがポストアップばかりして、オフェンスリバウンドばかりしてきたら、相手チームのバスケットがおかしくなるでしょう？　相手チームだってポイントガードにはポイントガードの仕事があって、センターにはセンターの仕事があるわけです。たまにミスマッチを突くことはあるかもしれないけど、40分間突き続けることはない。彼らだってそんな練習ばかりしているわけではないですからね。

そう考えると、いかに自分たちの土俵にするかが大事になります。何も無理に相手の土俵に合わせる必要はない。むしろ大きい人は小さい人とマッチアップするのも、されるのも嫌なものです。守ろうとすると抜かれるし、攻めようとすると足元に入られて、細かく手を出してくるから。

現実的にも日本には小さい選手が多いわけで、その層のレベルが高い。180センチくらいまでの層が日本では一番レベルが高いわけです。そこをまったく切り離す必要はないのではないかというのが私の考えです。

2001年は180センチの原田裕作がポイントガードをしていました。あとはみんな原田より小さい。シューティングガードからセンターまでみんな、原田より小さいんです。その選択はサイズではなく、適性でした。原田にはポイントガードの適性があったからポイントガードにしたし、彼以外の子は、小さいけど、ポイントガードとしての適性が見られなかったからシューターやセンターに育てたわけです。

日本代表も、ぜひ日本オリジナルのバスケットを見出してほしいと思います。福岡第一に福岡第一のバスケットがあるように、大濠には大濠のバスケットがあるし、洛南には洛南のバスケットがある。そんなふうに日本代表のバスケットを確立してもらいたいです。これは男子の話です。

女子日本代表はディフェンスを頑張るとか、チームで動き回るとか、そうした暗黙の了解みたいなものがありますよね。渡嘉敷来夢さん(ENEOSサンフラワーズ)もいますが、サイズありきじゃない。男子日本代表にはそうしたものが見えません。今でこそ専任のコーチが就きましたが、私たち高校生年代を預かる指導者が、アンダーカテゴリーの日本代表を指導していたときは、一体何をさせていればいいのか、まったくわからなかったんです。身体能力に優れたハーフの子を見つけてくればいいのか？　とりあえず大きな子を見つけてくればいいのか？　でもそれは育成ではありません。仮にそういう子が入ってきたとしても、日本として何をさせればいいのか？　それがわからなければ、よりよい育成にはつながっていかないのではないでしょうか。

## 全員がポイントガードの思考を持つ

私自身、すべての選手にポイントガードの感覚を持っていてほしいと思っています。つまりはコート上でリーダーシップをとる選手です。福岡第一が強いときはガード陣がしっかりしています。それしかないと思っているんです。スティーブが5人いても福岡第一のバスケットはできないけど、河村が5人なら、できます。

また、ほとんどのチームが大きい子をリクルートしがちです。もちろん大きい子は必要です。でも、それにばかり注力すると、河村や小川、ジュニアにはリクルートが行かなくなる。これは大学も含めて、日本のバスケット界の現状です。韓国はガードからリクルートするそうです。やはりバスケットはガードです。みんなが見えていて、みんなに指示を出せるポジションですから。「司令塔」と言われるゆえんでもあります。ディフェンスになると逆。センターがポイントガード的存在になります。この2つのポジションの子はしゃべれないとダメでしょう。「出ろ」とか「戻れ」とか。「右に行け」、「左に行け」。ディフェンスではセンターがそれをやらなければいけないし、ガードも一回くらいは後ろを向いて、みんなに「守るぞ」って言えるくらい、ディフェンスのなかでもリードできなければポイントガードではないかなと思っています。

個人的には、パワーフォワードあたりの子がガードの感覚を持っていて、たとえばインサイドでボールを持ったときにパスを捌くなど、いろんな判断ができると、アウトサイドのガードとインサイドのガードでオフェンスが組み立てられると思っています。とにかく5人、留学生も含めて、試合に出る子の頭はポイントガードの頭にはしたいというのが私の理想です。

だからといって、これも特別な練習をしているわけではありません。ボールを運ぶ人、ボールをつなぐ人、走る人とプレーの役割分担はしますけど、モノの考え方を教えるようにしています。それを具体的にと言われると自分でもちょっとわかりません。もしかしたら、それができる選手を本能的に選んでいるのかもしれません。フォワードの子は他にもたくさんいるんだけど、2019年は内尾と神田だったし、2020年はスモールフォワードにこれという選手が出てこなくて、むしろガードにいい選手が多かったので3(スリー)ガードにしました。

ゲームを見渡せるような思考を持たせるために、たとえば練習試合で全員にポイントガードをさせてみることはあります。普段の練習でもポジション別というのはあまり多くなくて、ファストブレイクの練習ではみんなが均しくミドルマンになったりします。そのなかで何となくポイントガードの資質みたいなものが、私のなかに引っ掛かっているのかもしれません。

2019年のツーガードは河村と小川でほぼ決まっていましたが、スモールフォワードは神田でもよかったし、仲田泰利(大阪体育大学)でもよかったんです。2018年の愛知インターハイのときは仲田がスタートでした。その後、どっちかな、どっちかなと思っていると神田が出てきた。神田は勉強こそ得意ではないのですが、実はしっかり喋れるヤツだったんだと驚きました。もしかしたらあの代で、私のことを一番分析してしゃべれるのは神田かなって思ったりもします。ガード的な思考が芽生えていたんですね。

神田の対角としては内尾が出てきた。彼は寡黙だけど、非常に頭のいい子で、もしかしたら河村よりも成績がいいかなと思うくらいです。オール5みたいな子で、その内尾に賭けたのは、そういう子だからこそ求められた仕事は絶対にできると思ったんですね。言い方が悪いかもしれませんが、頭のいい子だからこそできる、ルーズボールでもコツコツやれる子なんです。

大濠との試合で内尾は常に横地聖真くんにマッチアップしていました。内尾のほうが身長で10数センチも低い。だから、どうプレッシャーをかけるべきか、いろいろと考えていたのでしょう。その前年に横地くんを守っていた古橋正義はヤンチャ坊主だったから、下級生の横地くんに「舐められてたまるか」みたいな、どちらかというとケンカ腰で守るタイプでした。内尾は考えて、考えて、考えてマッチアップしたと思います。どうやったら僕が彼を守れるだろうか。彼を抑えないと僕は試合で使ってもらえないだろうと、彼なりに考えていたと思います。

## 選手の力を見極める

バスケット部としては日本最大級の部員数を誇る福岡第一ですが、最近はAチーム（主力チーム）とBチーム以下を見分ける〝目〟もできてきたと思います。たとえば1年生でも「この子はAチームだ」と思ったら、やはりAの子なんです。ダメだなって思う子はやっぱりダメなんです。Bに選ばれた子に「Aの子たちより早く体育館に来て、個人練習をやればいいじゃないか」とアドバイスはしますが、やはりその子にはできないんです。だからBなんです。Aに入った子たちは言わなくても来ているわけですよ。

私の中で誰がA、誰がBと決めるのは非常に重要なことです。一度決めても自分の目に狂いがないか、何度も入れ替えたり、コーチ陣に聞いたり、マネージャーに聞いたりしています。聞くときは、「私が「こいつ」と思っているだろうから「こいつ」と言わせるのではなく、純粋に誰だ？ と聞いて、その子を入れたりもする。それでもやはり私と彼らが見ているところは違っていて、やはりダメだなと思ったりすることもあります。

福岡第一のAチームで練習ができるってことは、つまりは全国大会に出られる可能性が高いということです。アンダーカテゴリーの日本代表になれるかもしれないし、強豪大学からスカウトが来るかもしれない。だから当然みんなAチームに入りたいと思うわけですけど、全員にそれだけの力はありません。

それは中村学園女子時代の石井先生の言葉に通じます。「立ち方」とか「立ち居振る舞い」でわかるんです。当時はまったくわからなかったけど、今になってその意味がわかるようになってきました。

2020年は1年生がたくさんAチームに入りました。彼らは入学以来、ずっとBチームに落ちていないんです。

たとえば城戸は元々、大濠に行きたいと言っていた子なんです。しかしそれが叶わなくて、ウチに来ました。私としても扱い方が難しかったのですが、実力はあるからAチームに入れました。その城戸が足を踏まれて、人差し指を骨折した。お父さんにすぐ電話をかけました。

「お父さん、賢心が骨折しました」

「ああ、そう。でも大丈夫。中学のときも親指を骨折して、ずっと練習していたから。サポーターで何とかなりますよ」

本人もすぐに、練習に入りますと言うんです。「医者も練習していいって……水曜日からは対人練習もやっていいって言われました」と。こいつ、強い子だなと。つまりAに入れてよかったということです。これがもうフニャフニャで、「足が痛いから休む」と言いに来たら、バスケットはうまいけど、どこかでサボる子じゃないかと思うし、周りも「なんであいつがAチームにおると？」となるわけです。でもそうじゃなかった。この子はケガしていたってずっとAチームですよね。

平岡倖汰もそうです。彼も同じように練習中に足を踏まれて、ひびが入ったんですよ。すぐに校医さんのところに行かせて、「先生(校医)は何て言ってた?」って聞いたら「ひびが入っていました」と。「でも痛くなかったら、テーピングをして、やっていいよって言われました」。ちょうど校医さんからも電話がかかってきたから、改めて「何て言ったの?」って確認したら、「やっていいって言ったよ」。「わかった。倖汰、やっていいらしいぞ」と言ったら、本当にやり始めた。強い子だなと思いましたね。

つまり彼らはその時点ですでにAチームから落ちたくないと思っているんです。もちろん大きなケガだったら、まだ1年生だし、大事にしていくわけですけど、そうした気持ちの強さには応えてあげたいですよね。変に情をかけてしばらく休ませるというよりは、ちょっとくらい無理をさせたほうがいいのかなって。2020年の1年生、つまり2021年の2年生の代は強いかもしれません。彼らが3年生のときのチームは今から期待が持てそうです。

## チームをひとつにまとめていく方法

学年別に見ると、やはり1年生はよく見えるものです。だから1年生を起用したりするわけです。

しかし最後は3年生です。意図的にそうしているのではなく、そこは感覚なのでしょう。2年生は少し緩くなってしまう。こちらとしても2年生はしっかりやっていないように見えてしまう。1年生は最初だから新鮮、3年生は最後だから真剣。学年別に見ると、必然的にそうなってしまうものです。

こんなこともありました。1年生を少し増やして、2年生でAチームだった子をBチームに行かせました。2020年でいえば河合瑠那がそうです。ただ、そこには意図がありました。彼は島根スサノオマジックでアシスタントコーチをしている河合竜次の息子なんだけれども、普通に考えたらAチームにいるべき子なんです。でもBに行かせた。なぜか。Aチームのなかで先輩に引っ張られてやるのと、Bチームで、たとえそこに3年生がいたとしても、リーダー格で引っ張ってやるのとでは違いが生まれるからです。Bに行って、Bのなかではちょっとうまいよ、くらいの意識で練習をするのか、Bの練習は「俺が仕切ってやるぞ」くらいの気持ちでやっているのか。2年生ですから、Aだと3年生がいて、彼らを押しのけてリーダーシップを取ることは難しい。でもBだったら、たとえ3年生がいたとしても、実力的には上なわけですから、リーダーシップを取ることもできるはずです。そうした力をつけてAチームに戻ってきてくれたら、今度は3年生がいても意見を言えたりするものです。3年生と衝突するくらいの力をつけないと、ずっと下に甘んじることになる。下位に甘んじていると、自分の代になったときに大したことにならなくなってしまう。3年生になった河合が２０２１年、どういう存在感を発揮するか楽しみですし、そういうことを考えながら、ときどき入れ替えをしています。

部員数の多いチームですから、必然的にグループ分けをするのですが、例年だとA、B、Cの3つに分けることが多いんです。でも２０２０年は部員が74人になったので、途中でDも作って4グループに分けました。Aチームは15～16人、多くても20人くらい。あとは16人くらいが3つ。２０２１年は部員数が１００人に達しましたから、各25人くらいの4グループになりそうです。

そうしなければチームを強化できないんです。福岡第一は、みんなで手をつないで、よかったねと言うような仲良しチームではありません。入部した子どもたちには均しく機会を与えるけど、その反面、チームとしては勝負しなければいけない。本当に全国で勝負できるメンバーは１００人のなかでも一握りだけです。その線は厳しく見極めています。Aの練習に入れるだけの資質がないと判断されたら、Aには入れないのです。

もちろん、私自身がスカウトした子は、Aに入ることになります。私自身が見て、頭を下げて連れてきているわけですから、自分の目に狂いがなければ、いい選手のはずなんです。最近はそれも間違っていないなと感じます。期待通りにやってくれる。２０１９年の内尾にしても、神田にしても、やはり3年生になったら「出て来たな」という感じです。一方で6番手だった山田真史(日本大学)

など、意外と言っては失礼だけど、ポッと出てくる子もいます。山田はずっとBだったけど、自分たちの代、新チームになったときに初めてAに上がってきた子です。2020年の砂川もそう。「Bチームの中で一生懸命やっていたんだなぁ。だからAに入ったときもやれるんだな」という子は毎年必ず出てきていますね。

私は年間を通してチーム全体を見るわけですが、12月の声を聞くとAしか見なくなります。ウインターカップがあるからです。B以下はアシスタントコーチに任せます。そう言いながらも結局は見ているんです。たとえばAとBは、コートこそ別だけど、同時に練習をしています。そんなときに、表現はよくないけど、見なくてもよい練習もあるわけです。たとえばウォーミングアップしているときはあえてBを見る。Aがスクリメージ系の練習をしているときは、Bがランニング系の練習をしている。当然、スクリメージ系の練習のほうをしっかり見ておいて、Aがランニング系の練習になったら、Bをスクリメージ系の練習にして見る。これは長い間1人でやってきたからできる工夫のひとつかもしれません。みんなが一斉に同じメニューをしたら、簡単だけれども、全員を見られないでしょう。

もちろん個々のレベルの差はあるし、留学生はたいていAチームに入るから、Aチームは5人のバスケットをやりやすいんです。Bチーム以下は留学生がいないから、5人でやると、バランスが悪くなる。アウトサイドの選手が、中学のときにセンターだったからという理由でセンターに入ってゲームをする。その子は「第一だったら留学生もいるし、3番か4番ができる」と思って来たのに、練習ではいつも5番をやらされると不満に感じる。だから「お前たちは4対4でいいよ」と言ってあげるんです。5人目の枠に留学生が入っていることを想定してやろうと。だから福岡第一では4対4の練習が非常に多いんです。

一般的にも4対4だと動きが多くなるのですが、同じドリルを5対5にすると途端に動きが重くなりがちです。ついゲームの感覚になってしまうからです。彼らはみんな5対5のゲームを経験してきているから、練習であっても、試合のようになってしまう。4人までだとドリルとして捉えて、激しくできる。たった1人の差だけど、ドリルとしては4対4がすごくいいんです。1人減らして3対3にするとスペースが空きすぎて、バスケット的ではなくなる。ディフェンスを例にしても、4人だとボールマンディフェンス、ディナイ＝ワンパスポジション、ヘルプ＝ツーパスポジションがある。あとはその「ない部分」を、ウチであれば留学生が埋めていくんです。

バスケットでコートに立てるのは5人ですが、インターハイのベンチに入れるのは最大12人です。ウインターカップは15人。留学生を含めて、この選択はいつも私を悩ませます。Aチームの15〜16人、2021年であれば25人の中からまず5人の選択をして、残りの7人、もしくは10人を決めていく。

何が一番嫌かといえば、夏の12人目と13人目、冬の15人目と16人目を分けるところです。かつては、同じくらいの力だったら、下級生を入れるほうが来年につながる、それがチームのためだという考え方がありました。今もその〝虫〟が騒いで、下級生を入れるときがあります。そういうときはだいたい負けますね。そこはやはり3年生を入れるべきなんです。下級生で力のある子がいても、上級生を飛び越えるくらいの力がある子でなければ、入れるべきではないとわかってきました。3年生を入れるとベンチの雰囲気だけでなく、応援席も含めてすべての雰囲気がよくなります。「なぜ福岡第一は、いい雰囲気でまとまっているんですか？」とよく聞かれるんですけど、最後の1人に3年生の選手を入れるからなんです。

最後に選ばれた3年生がちょっとでも試合に出て、シュートでも決めたときは、チームが何よりもひとつにまとまります。そういう子はたいていAチームとBチームを行ったり来たりする子だから、どっちの気持ちもわかるわけです。前年まで応援席で太鼓を叩いたり、メガホンを持っていた子です。2019年の山田は6番手まで上がってきたけど、元々はそういうところにいる子でした。そんな彼がシックスマンとして活躍をすれば、ひとつ学年の下の子たちからすると、前年まで一緒に応援席で応援していた人が、翌年にはコートに立って、全国大会でシュートを決めている。「よし、俺も来年、やれる」と思うわけです。そうした子どもたちの気持ちを揺さぶるような選択も、指導者としてのテクニックのひとつかもしれません。

そういう子はむしろ、練習ではBチームでもいいのかなと思っています。Bの3年生としてリーダーシップを取って、練習をまとめる。練習を引っ張る。その子が最後の12人目に選ばれて大会に行く。Bチームの子たちはAチームの子たちよりもその子を応援します。ウチはBチーム以下の子たちのほうが多いわけですから。Aチームのなかでも本当のAクラスは7〜8人で、あとはAだかBだかCだかもわからない子たちです。それでも毎日Aに行きたいと思いながら学校に来ているような子たちです。「Aに入れ」と言われたら、目の色を変えてAのコートに来る。「今日はBのコートに行け」と言うと、嫌そうな表情で行く。それはそうです。みんなAチームでしたいわけですから。でも、たくさん選手がいると、そうした区別も必要になるんです。

## 大所帯チームの台所事情

監督としては、少数精鋭のチームにしたい気持ちがなくもありません。たとえば部員が70〜80人になったとしても、学校から出る部費は変わらないわけですから。クラブ単位でいくらと決まっている。私は学校で部活動を総括するような仕事もしているから、たとえば部費を「部員数×いくら」にしようと考えたこともあります。人数が多いクラブがたくさんもらうことは、決しておかしいことじゃない。部員が多くいればいるだけ、ボールなども消耗するんです。でも少数クラブの先生方が反対しますよね。ならば、実績で分けよう。A、B、Cというランクがあるから、Aランクは基本の部費×1、Bは×0.8……そういうこともしようかなと思っているんですけど、結局ウチは慢性的な貧乏所帯です。もちろん学校として応援してくれていますが、男子バスケット部の台所事情は決して楽ではありません。

それに対して、親がお金を出すのは、ある意味で当たり前かもしれません。それでもやはり「お金を出してください」とは言いづらい。できるだけお金がかからないようにしたい。そう考えると、やはり少数精鋭のほうがいいんです。

ただ、この大所帯でいい結果が出ているのも事実です。これまでを振り返っても、部員数が多いときは全国でも勝っているんですね。

アンダーカテゴリーの日本代表のコーチをやっているときは、あまりにも部員が多いと面倒を見切れないから、来たいという子を断っていました。一学年一桁の部員でなければ面倒を見られない……まさに2012年に入ってきた子たちは一桁でした。彼らが3年生のときの千葉インターハイは1回戦負けです。それ以前の、園幸樹や玉井勇気が3年生だった2009年の大阪インターハイのころは部員が多くて、鵤誠司でも1年生のときはベンチに入れなかった。今B・LEAGUEの宇都宮ブレックスで活躍する鵤でもBチームだったんです。

そんな時期もありましたけど、その後一時期部員数が減って、2014年に重富兄弟が入学していたころからまた増えてきたのかな。そうしたら、彼らが3年生になったときにいい結果が出た。

受け入れないわけにはいかないですよね。

## 福岡第一の練習哲学

練習については、デイブさんをはじめ、人から教わったドリルをやっているところもありますけど、基本的にはオリジナルにしたいと思っています。教わったものをそのままやるのではなく、少しでもアレンジするように自分で考えてみる。そういうことが必要かなと思います。ドリブル1対1を身につけるために、単純にドリブル1対1をやればいいのではなく、いろんな種類を作ってみたり、約束事や制限をつけてみる。そういうところは細かいですね。

私はもともと女子のコーチから始めています。女子は細かくやらないとできない一面があるんです。こっちにドリブルを突くから、ディフェンスはこうしなさいといった約束事を作って、次にこう突くから、そのときはこうステップしなさいと。そうすると試合のときに「ほら、あの練習と同じじゃないか」と腑に落ちて、だんだん身についていって、最終的には自分で判断ができるようになる。男子でも、ある程度の能力がある子であれば、とっさに「このときはこうなるから、こうしろ」と言ってすぐにわかる子もいます。しかし、それだけではわからない、できない子もいるんです。それを一つひとつ丁寧に、なぜこのフットワークをするのか、なぜこのステップがよいのかを指導していく。

オフェンスもそう。なぜこのドリブルが必要なのかを示す。ドリブルの種類を教えるのではなく、ディフェンスがこう守ってくるから、このドリブルが必要じゃないかと教えるわけです。そういった細かい練習は結構やっていて、とにかくできるだけオリジナルの練習にしたいなって思っています。

なぜオリジナルにしたいのかと言えば、人と同じ練習をしても、その人と同じチームにしかならないからです。もちろん最初は真似でいいと思うんです。でも真似から発展させないと意味がない。教えてもらった練習を真似して、その上にコーチ自身の考え、哲学などを上乗せできないと、本当に教わったことにならないと思います。

情報化が進んで、バスケットもこれだけワールドワイドになれば、誰もやったことのないものなんてほとんどないでしょう。何かを教わったときに、それが自分の選手たちに合うようにアレンジできるか。与えられた練習環境、つまり自分たちの体育館に合うようにやれるか。そこは指導者の資質ではないかと思います。

福岡第一の練習は朝練習から始まります。だいたい7時から始業までの1時間強。放課後は16時くらいから。アスリートコースの子たちは週に3回、15時15分から始められるんです。6時間目を専攻体育にして、部活動をやっていいというアスリートコースを作ったので、その3日間は1時間くらい早めに始められます。

基本的には、練習のはじめにフットワークなどをしますが、ディフェンスの練習をして、ファストブレイクの練習をして、ハーフコートのセットプレーの練習というのがおおまかな流れです。なぜならそれが福岡第一のバスケットだからです。守って、走って、セットプレーに入る。速攻のイメージがあるかもしれませんが、当然セットプレーもあるわけで、それを練習の中で必ずやります。デジタルタイマーを使って、ディフェンスのドリルなら24秒、フルコートディフェンスなら8秒といった、時間の感覚を体に覚えさせます。そこはこだわりかもしれません。

終わりはだいたい18時30分から19時くらいまで。その後、夕食を摂って、20時から21時くらいまでシューティングをしています。

河村は23時までシューティングをしていたことがあります。厳密にいえば、違反なんです。寮には門限がありますから。ただ若い先生と一緒に抜け出してきて、シューティングをしていたので、許容の範囲です。というよりも、そうまでして自分の磨きたいことを磨ける環境が福岡第一にはあります。

全員がそう思っているかはわかりませんが、福岡第一に来ている子たちは、朝ご飯を食べることやトイレに行くことと、シューティングは同じ感覚でいると思います。いわば生活の一部。バスケットをすることが生活の一部なんです。嫌々しているわけではない。やりたくないことを無理やり引っ張ってきてやらせているのではなく、やりたいだろうから、じゃあ、もっとやらせよう、というのが福岡第一の、学校としての考え方です。子どもたちがやりたいことを存分にやれる環境を与えられるわけです。昔はバレーボール部やバドミントン部がいて、それさえ叶わなかった。今はそれをやれる環境になったのだから、最大限使いなさいと言っています。

むしろ体育館に誰もいないと寂しい気がします。私は今、教官室にいることがほとんどだから、授業でも使っていないと、「誰かが自習時間にシューティングをしているんじゃないか」という気持ちになってきます。自習でボーッと1時間を過ごすのなら、シューティングでもすれば？　と言いたくなるほどです。

いくら学校であっても無駄な時間を過ごさなければいけないときがあると思うんです。だったら生徒を解放してくれよって思います。1時間早く解放してもらって、1時間早く寮に帰してあげたほうがいい。彼らにとってのバスケットは、命より大切なものではありませんが、その次くらい大事なものだと思って、やっているんじゃないかと思います。

福岡第一は原則的に坊主頭にさせています。わざわざ坊主頭にしてまで、何を好き好んでやっているんだろうな？　と思うこともあります。でも彼らは本当にバスケットをしたくて福岡第一に来ているんです。ならば、思う存分、バスケットに打ち込んでほしいと思っています。

## 個人練習について

チーム練習のあとに1時間のシューティングを始めたのは、ここ数年のことです。ダラダラとした、一般的なシューティングではありません。個人練習だけれども、個人のスキルアップを集中的におこなうための重要な時間です。始めたのは松崎の代くらいからなので、私自身、それまで何をサボっていたのかと思います。友人とお酒を飲みに行ったりしていたわけでしょう？　もちろん今でもお客さんが来たら、「ご飯を食べに行くから先に帰るぞ」と言うことはありますが、時間の使い方を自分自身で考えられていなかったと反省しています。

個人練習は指導者がどこまで口を出すかがポイントです。

あまりにも間違ったことをしていたら「こうしたほうがいいんじゃない？」とアドバイスすることはあります。一方で子どもたち自身が何かを考えているときはそれに気づいて、放っておきます。そのバランスが指導者の力量なのかなと。

たとえば（ハーパージャン・ローレンス・）ジュニアのシューティングは、放っておくとついつい雑になってくるんです。そんなときに「しっかり打て」というジェスチャーをしてあげる。彼も頷いて、しっかり打つようになる。本人はわかっていないと思いますよ。「先生がたまたま自分を見て、そんなジェスチャーをしているだけだ」と思っているだろうけど、まだまだ1時間しっかりとシュートを打ち込むだけの力はありません。それは大学に行ってからの、彼の課題かもしれません。

このシューティングはAチームだけです。以前まではみんなが一斉に個人練習をしていたんですけど、今はメンバーを絞って、「この時間はAチームだけ」と決めてやっています。

チーム練習が休みの日にも、Aチームだけ2時間くらい個人練習をすることがあります。2021年は部員が100人になったので、その日は1年生の練習に当てていますが、それでもAチームだけは出てきて、1年生が練習している隣のコートでシューティングを中心とした個人練習をしています。シューティングのためだけに出てこさせるようなものなのですが、それが福岡第一です。大人数の部だからこそ、人数を絞ることで集中力が高まってくるはずなんです。

以前のように「全員が出てきてやれ」と言うと、みんながザワザワ出てきて、ザワザワしたままシュートを打つんです。それでいいのか。それともメンバーを絞って、シーンと静まり返った中でやるのがいいのか。それを考えるようになりました。なかには、静まり返って、ボールが弾む音しかしない雰囲気に耐えられない子も出てきます。そういう子はおしゃべりをしたり、やたらと水を飲む回数が増えてきたりするんです。それでも2020年であれば、ジュニアや砂川、松本、當山といった3年生が、徐々に集中してやれるようになってきました。そうした空気感が翌年の子たちにも引き継がれていくわけです。

## 時間をいかに有効活用するか

休日の練習はなんとなく朝9時から始まって、なんとなく18時に終わる。これまでは最長でもそれくらいでした。しかしこれだけ部員が多くて、平日の朝練は朝7時くらいからやっているわけだから、土日だってもっと早く来てやれるんじゃないか。それを気づかせてくれたのは、2020年12月にお亡くなりになった、沖縄・コザ中学校を指導していた松島良和コーチです。コザ中は誰も体育館を使っていない平日の早朝が、ある意味で練習のメインだったそうです。朝練習が確立されていたわけです。

我々も、私が中学生のリクルートなどで朝から出かけなければいけないとき、それまでは「午前中は休み」にしていました。でも6時半、もしくは7時から9時まで練習してから、リクルートに行くこともできる。2021年は部員が100人を越えましたが、2020年でも74人です。休日でも早朝の練習ができれば、一回転はできる。そのためには私も毎日5時起きです。2016年以来、お酒を断ったからこそできることかもしれません。

子どもたちもそれがわかっているから、Aチームが練習試合をするときなどは前日に「先生、明日のBチーム以下は7時半からでいいですか?」と聞いてきます。「Aチームは9時に集合して、10時に試合開始でいいですよね」と。こちらとしても心のどこかで「日曜日だし、もう少し寝かせてやれよ」

と思いながら、「うん、それでいいよ」と返しています。

よく「時間がない」とおっしゃる先生方がいますが、学校によっては朝の課外授業をしているところもあるわけでしょう？　そこは狙い目じゃないかと思います。他のクラブが寝ているときに体育館を使わせてもらって、他のクラブが9時くらいに出てくるときには、どうぞと引き渡す。

今でこそ私たちは2面のコートをフルで使えますが、もしコートが2面も使えないのであれば、Bチームの子は朝早く来てやればいいし、1年生はこの時間にやりなさいと時間別にしてもいい。そうすると私自身の体育館にいる時間が長くなってくるわけです。だから今が一番、生徒の長所や欠点が見えているかもしれません。

昔は自分にそうした余裕がなかったのでしょう。帰りたい。仕事も忙しいし、休みたいし、ちょっと遊びに行きたいという思いもゼロではありませんでした。そういう感覚が削られて、今は本当に用事があるとき以外は体育館の教官室にいます。

もし今、欲することがあるとすれば、生徒たちと一緒に生活することです。今は安田真也と武藤海斗という若い2人のアシスタントコーチが、寮で子どもたちと一緒に住んでいます。彼らには苦痛かもしれません。必要なとき以外、彼らが出歩いているのも当然だと思います。逆に今の私であれば、シャワーとトイレのある部屋を用意してもらえれば、寮でも全然苦にならないと思います。

## キャプテンたるもの

私はあと3年で定年を迎えますが、その後を受け継ぐであろう若い先生たちが、学校の中で「バスケットファースト」でい続けられるポジションを与えてもらえるかどうか。それは私自身が積み上げてきたところでもあるし、周りにもそれを認めざるを得ないようなことをしてきたつもりです。しかし、バスケットファーストになっても、他の指導を怠ったことはありません。

それでも、たとえば無駄に職員室でお茶を飲んでいる暇があったら、1分でも早く体育館に行くべきです。一番多いのはウォーミングアップが始まったころにやって来る指導者。そして「ウォーミングアップ、ちゃんとやったのか？」と聞く。生徒は先生の行動がわかっているから最初は適当にやって、先生が見えたら一生懸命にやる。こういう悪い習慣が日本にはあるでしょう？　見張りを立てたりして「先生が来た！」。途端に一生懸命になったり、なかには額に水をつけて、汗に見立てたり。そんなバカみたいな話をたくさん聞くわけです。「今日は先生の車がないぞ」と思っていたのに、6時間目くらいになって「あれ、戻ってきた……」。授業が終わって、がっかりしながら体育館に行ったりする。そうしたことを諦めさせるためには、先に指導者が体育館にいればいいんです。そうすると諦めるしかない。「ウチの先生はしょうがない。もうずっといるんだ」

たまにいないときは万歳です。昔だったら、スーツを着ていると「今日は中学校にリクルートに行く日だから早く帰るぞ」という顔つきをしたり、私の友人で、狩野の恩師である中学校の先生が来たら、「あ、先生は今から飲みに行くな。今日は早く終わるぞ」とニンマリする。私の妻がフラリと来たら、「あ、今日はご飯を食べに行くんだな。よし今日の練習はもう終わりだ」。嫁さんもニコニコしながら、生徒と目を合わせながら「もう帰るよ」って(笑)。

そうした雰囲気が変わり始めて、福岡第一・男子バスケット部としての〝チームカルチャー〟が出来上がってきたのは、ここ数年です。重富友希と周希(2016年度)のときくらいから……いや、その少し前、早稲田大のキャプテンをした濱田健太(東京海上日動)と秋山皓太(横浜ビー・コルセアーズ)の代(2014年度)くらいからかな。人数は少なかったけど。主体性を持ってやっていたこともあるし、濱田のような立派なキャプテンもいましたね。

キャプテンは子どもたち自身で決めていますが、だいたいは私がなってほしい子を選んできます。なぜなら彼らが下級生のときに、すでにリーダーとして接しているからです。福岡県は1年生大会があるから、1年生大会のキャプテンになると、「おい、1年生」っていうと、だいたいその子が中心になってくるんです。子どもたちの中でも、なんとなく彼がキャプテンみたいに決まっているんです。そうするとだいたい私のイメージと合うものです。

キャプテンにはいろんなことを求めます。当然Aチームのことが多いわけです。でもある日曜日などに、大会が近いからAとBを分けて練習をすることがあります。Bを先に練習して、Aはそのあとで他校と練習試合をする。練習試合が始まったら、Bはオフィシャルをするか、できてもトレーニングくらいだから先に練習をやっておくわけです。そのときBの練習に付き合える、一緒の時間に来られるようでないとキャプテンは務まらないでしょう。Bとは集合時間が異なるので、本来であれば1時間半後に来ればいいんだけど、キャプテンたるものはBの集合時間に来るべきです。こちらから「来い」とは言いません。それこそが資質だと思っています。要はボスなんです。しかも同じ年齢の中で、キャプテンの言うことが、ある面で監督やマネージャーよりも影響力がないといけない。彼が一言「やるぞ」と言ったら、みんなが「よし！」という気持ちにならなければいけない。どうすればそうなるか。毎日の姿勢です。たとえば誰よりも先に掃除を始めるとか。

昔のキャプテンはよく「10円剥げ」ができていました。アシスタントコーチがいない時代は、私も彼らにプレッシャーをかけていました。当時は私とマネージャーとキャプテンの3人でチームを運営している感じだったんですね。そのときのマネージャーは今よりしっかりしていたし、キャプテンも今よりしっかりしていたかもしれない。今は周りの先生たちが助けてくれるから、そういう面は弱いかもしれません。

前記の濱田はそれができていた。学校の中でも優等生だったんです。勉強もするし、学校の先生たちからも評判がいい。彼のように、求められることを、先生に言われずにやる子じゃないと、キャプテンとしてはダメでしょう。もちろん、わからなかったら、言ってやらせます。仕事の内容も理解しないようなら、チームが滞るからこちらが言いますが、そうした能力を引き出すのに1から10まですべての答えを教えてしまうのがダメなんです。考えさせることも必要だと思っています。

福岡第一を卒業後、大学でキャプテンになる子が多いんです。2020年の日本体育大のキャプテンは土居でした。立候補したっていうんですから……考えられないですよね。あの土居が日本体育大のキャプテンに「僕がやります！」って言ったっていうんだから驚きでしかありませんでした。でもうれしかったなぁ。

# 第5章 未来あるキミたちへ

## 環境をも乗り越える工夫を

生徒の人としての部分を育てながら、強いチームをどう築くか。多くの指導者が抱える悩みの1つだと思います。最近でこそ福岡第一の形が見えてきましたが、私自身、ありとあらゆる人のバスケットを見て、聞いて、触れてきた気がします。

学生時代は東京都の先生方のバスケットを見てきましたし、中村学園女子時代には吉村明先生のバスケットが目の前にあったわけです。男子を指導し始めてからは県立能代工業のゾーンプレスに憧れ、デイブ・ヤナイさんがディフェンスを教えてくれて、佐藤久夫監督ともやるようになって……モノマネではないけど、人がやっていることはとりあえず見ようとしてきました。見て、やって、失敗しながら、そのなかで自分だけのバスケットを構築してきたんです。

たとえばドリルは既存のドリルを見て、覚えることができると思います。でもそうしたドリルには本質的なやり方がある。ポイントと言ってもいい。ちょっとでも間違った動きがあったら止めて、何度でもやらせる。当たり前ですけど、年間を通してそれをやり続けられるか。それらをやろうと思えば、時間がかかることがわかり始めてきました。

福岡第一という高校は、これまでにも書いたとおり、あまり時間の制限がない学校です。時間をかけて、じっくり指導ができるのが特長です。ただ、もし私が練習時間等に制限のある学校に戻るとしたら、朝の時間を有効活用するし、玉川聖学院時代のコーチングにも戻るでしょう。玉川聖学院では30分くらいしか体育館が使えませんでした。それでも東京都の4部リーグにいたチームが5年間で2部リーグの1位まで勝ち上がっていった。選手は本当の素人さんです。バスケットをしたくて学校に来た子たちではありません。ただバスケットが好きで入部してきた子たちです。当時の東京都の高校女子1部リーグは16チームだったと思います。その1部リーグにこそ入れませんでしたが、そんな子たちでも2部リーグを優勝するチームを作れたんです。

あのころは学校として時間の制限もあったし、私自身、コーチとしての知識も知恵も経験もないから、家に帰ってバスケノートを書かせるなど、コートとは違うところで頑張ってもらっていました。練習試合に行っても、ただ試合をするだけではなく、必ず合同練習をしてもらう。時間がないなりに、いろんなやり方があると思います。がめつく、がめつく、ちょっとした時間も無駄にしないやり方をしていました。

体育の授業をトレーニングと思って、体操から、ランニングから、しっかりやりなさい。そうすればあなたたちは放課後のランニングとトレーニングをしなくてもいいじゃないか。「体育の授業があったのか。じゃあ、あなたはトレーニングの練習を省いて、ここからやりなさい」ということもできるわけです。それで30分くらいの時間が削れる。「先生、昼休みに20分シューティングをしました」。そうすればシューティングの時間を20分削れます。そうやって工夫していくしかないと思います。

２０２０年、新型コロナウィルスの影響で練習ができないときも、まさにそうでした。４月、５月と部活動ができないなかで、どれだけ工夫してやれたか。やれる子は自分で練習を工夫してやっていただろうし、やれない子はメニューを与えてもやらないかもしれない。与えられた環境に言い訳はできないんです。ただ、その環境を変えられるよう、いかに工夫するかが大事なことだと思っています。

## 雑草だからこそできる指導がある

私は原則的にＡチームを見ることが多くて、若いアシスタントコーチがＢチーム以下を見ています。もちろん私もＢチーム、Ｃチーム、Ｄチームを見ます。ＢからＡに上がる子もいます。その人数などは日ごとに変わります。ただ、その日の練習中に下のグループに落とすとショックも大きいので、それはあまりしません。次の日の練習の前に、人数のバランスを見て、お前とお前が入れ替われ、みたいなことはしています。

そこは見間違えないようにしなければいけないところです。見間違えると生徒からの信頼がなくなります。ダメな子をかわいがって、いい子を落としてしまうと、先生はどこを見ているんだ？と思って、なかには、やっていられないと思う子も出てきますから。そこは怖いところです。

Aチームを見ながらBチームも見る。この視野は〝年輪〟だと思います。長い間、ひとりで指導していて、バレーボール部がいなくなって、コート2面を使えるようになったとき、2つのコートの間に立って、両方のコートを見ながら指導していました。同時にゲームをさせながら、右のコートで「はい、ファウル」、左のコートに「はい、トラベリング」なんてこともありました。本当にそんなことができるのか？　と思われるかもしれませんが、できるものなんです。もちろん同時に起こると見えないこともあるけど、まったく同じタイミングで何かが起こることはまずありません。嘘みたいに聞こえるかもしれないけど、両コートの試合を審判することもできなくはないんです。

さすがに100人は少し多いけど、2020年の74人くらいならなんとか1人で見られなくもない。アシスタントコーチが練習に出られる日はいいですが、彼らも担任があるから必ずしも毎日出られるわけではない。私よりも練習に来られないことが多いんです。

彼らはクラスの仕事を終わらせて、練習の途中から来ることになるわけですが、以前にも記したとおり、生徒たちの、授業が終わって体育館に集まってくるところから、着替えてコートに入ってくるところまでを見られるのが一番いいんです。練習を見るうえで一番大事なポイントかもしれません。「始めろ」と言えば彼らは一生懸命やるのですが、実はその日の状態が最も表れるのは、練習が始まるまでです。ぐずぐずしている子がいたり、掃除のほうきを一度も持たずにすぐシューティングを始めている子がいたりする。ストレッチをいい加減にしている子や、自分のテーピングだけを一生懸命やっている子など、いろいろ見えるんです。見ているからこそ見えるんです。

これはクラス担任を受け持つとわかります。それぞれの家庭環境を調べて、たとえば「この子はお父さんしかいない。朝ご飯はどうしているのかな？」と思うと、ひもじい思いをしているかもしれないなと目が行くわけです。何の情報もないのに、わかっているわけではないんですね。そういうことは、意外と伝えづらいところなんですけど、若い先生にわかってほしいところでもあります。

私が今それをできるのは、やはりいろいろな体験をしてきたからでしょう。要するにエリートではないんです。たとえば私が能代工業の卒業生で、日本体育大に行っていて、ちょっとくらい活躍していれば、東京の先生方も「おお、お前が能代工の井手口か」となったかもしれません。しかし西南学院なんて、東京の先生からすれば、どこにあるかもわからない学校です。それでも井手口孝という人間を認めてもらうには、いろんな生き方、付き合い方を覚えなければいけません。先生たちにくっついていって、それこそお酒を飲みにも連れていってもらって、彼らのお酒を何千杯作ったことか。同時に飲ませてもらいながら、いろいろな話を聞き出していって、そうしたら「練習試合に来いよ」とか「審判に来いよ」と言ってもらえるようになった。なかには「ウチに泊って帰れ」という人もいたくらいです。私も若い指導者とそういう付き合いをしたいなって思うけど、そこまで入ってくる人は今、なかなかいないですね。私がそういうことをしていたのは、当時から日本一になりたいという思いがあったからです。もし自分がそのチャンスを得たときに、何かのヒントになればと、がめつく、がめつくついていっていました。そこまでの思いが今の若者たちにはない気がします。すぐにあきらめてしまう。

私はとにかく一生懸命〝盗み〟ました。

中村学園女子にいたときは、バスケット部以外にも強い部活動がたくさんあったんです。テニスや陸上、新体操も強かった。暇なときにそれらの練習を覗いたりするんですよ。ああ、あんなことをやっているんだと。福岡第一に来てからも、ウチは剣道部が強くて、全国で優勝したりするから、たまに剣道部の練習を見たりするんです。なるほど、ああやってやるんだなと。でも私の練習を見に来る若い部活動の指導者はいません。とりあえず日本一になった、しかも連覇も経験したことのある監督です。日本一を獲るには何かあるんじゃないか？　普通ならそう考えると思うんです。覗きに行こうかなという人がこの学校にはいない。いまだに私のほうが「野球部の監督が変わった？どういう練習をしているのかな？」、「陸上部に新しい指導者が来た？　そうか、陸上だと、バスケットで言うところのフットワークで、あんなにも飛ぶんだ！」と見ている。でもバスケット部は、練習試合こそするけど、本気になって練習に通ってくる人はあまりいないのが現状です。

なぜなのか、不思議です。たとえば福岡第一は体育館があるし、いい選手がいるし、留学生もいるし、だから同じようにできないと思うのかもしれません。でも私も「最初はこうやったんよ」っていう話をすると、「え？」と驚かれて、逆にそこまでは見られないとあきらめてしまう。

何度も名前を出して恐縮ですが、あの佐藤久夫先生だって最初は分厚い眼鏡をかけて、女の子たちと外のコートでバスケットをしていたんです。その時期があって今がある。最初から仙台高校や仙台大学附属明成高校の監督だったわけではありません。そう聞くと、私はもっと話を聞きたくなる。あの頃はどうしていたんですか？ と。それができるから勝たせてもらっているのかもしれません。みんながそうした指導者だったら、もっと強いチームがたくさんあるかもしれない。

県立能代工業だってそうでしょう？ 今でこそ苦しんでいるけど、一時代を築けたのには何か理由があるはずなんです。あんな田舎の県立工業高校に、日本中のトップ選手が集まるのはなぜか？ そう思いませんか？ すごいことでしょう？ それができる故・加藤廣志先生に何かがあったんだと思います。学校どころか、秋田県を動かすくらいの何かがあったんです。

むしろベテランの指導者のほうが来ます。女子サッカーで何度も日本一になっている宮城県の常盤木学園・サッカー部を率いる阿部由晴先生とある会議で一緒になったら、わざわざ福岡まで来られました。同校のバスケットの監督さんを連れてきて「彼は女子の監督なんだけど、日本一のバスケットの練習はどんなものなのか、見に行っていい？」と。

2020年度で定年退職されましたけど、福岡市立西福岡中学の鶴我隆博先生なんて毎週来ていました。鶴我先生に見られると練習がやりづらくて仕方がないのですが、彼はたぶん福岡大学附属大濠にも行っていたと思います。それは教え子がいるからという理由ではなく、バスケットを勉強

しにきているんです。じゃあ福岡県の他の中学の先生が来るかといえば、来ません。だから西福岡中は負けなかったんです

今はスマホやパソコンで、国内外のコーチの指導など、いろいろ見られるわけですよね。試合もたくさん配信されています。それらを見て、「見たことがある」と思うようです。でも試合はやはり試合会場に行って見ないとわからないことがたくさんあります。インターネットでは見られないところに、自分の足で行けるわけです。たとえば舞台裏だったり、トイレだったり。そんなところにもたくさんヒントがあるんです。

私も駆け出しのころ、インターハイで仙台高校のベンチ裏にいて、佐藤監督はどんなことを言っているのかなと聞き耳を立てていました。佐藤監督に限らず、有名な先生方はどういうことを言っているのか。能代工業を率いていた加藤三彦監督(西武文理大学監督)の喋り方を真似したこともあります。そうして「なるほど、こういうときは、ああいうんだな」とわかっていく。何を言っているかではなくて、このタイミングで言えばいいんだなと。試合会場がシーンとなった。その瞬間に三彦監督はわざと大きな声で言うんです。「いいんだ、いいんだ。心配しなくていいんだよ。お前は打てばいいんだよ！」と。生徒がうんと頷く。私はあれを、タイミングがわかってやっているんだなと思いました。この人、うまいなと。周りがうるさいときに言っても、生徒も何を言っているかわからないから、とりあえず「うん」と頷くけど、伝わっていなかったりするわけです。うまいですよね。

## 次世代の指導者を育てる

最近はアンダーカテゴリーの日本代表コーチとして東京に行くこともなくなったから、以前と比べて子どもたちの面倒を見られるようになってきました。また学校の中でも新しい先生を入れられるくらいの立場になってきました。

私たちの役割として若い指導者を育てるという一面もあります。今はB・LEAGUEの周辺でコーチになっていく若者も増えていますが、やはり高校、中学にしっかりした人が……故・加藤廣志先生や佐藤久夫先生のような人が出てこなければいけないと思うんです。もちろん大濠の片峯聡太先生だったり、尽誠学園の色摩拓也先生、県立でも豊浦高校(山口)の枝折康孝先生だったり、期待する若い指導者は全国に何人かいます。できれば福岡第一のなかにも、と思うと、そのためには部員がたくさんいたほうがいい。しかも私立高校だから生徒がたくさん入ることは学校経営においても重要なことです。

私が来たときは定員が960人で、1000人くらいがボーダーと言われていました。それが一時期500人まで落ち込んだんです。学校もいろいろなことがあったのですが、500人くらいまで落ち込んだときに銀行など経営のプロの人たちが入ってきて、いろんな無駄を削るようになった。我々の出張旅費も半分くらいになったし、出張手当も少なくなって、最悪なときはボーナスが4割カットになったこともあります。今はそれを少しずつ戻してくれているんですけど、まだ100%までは戻っていない。私はあと3年だからいいんです。息子も娘も独立しているからいいけど、今の20代、30代の先生のことを考えると、これから結婚して、家庭を持つ人のために、なんとかしなければいけない。まず考えるべきは、生徒が定員に達していることです。学校の中での立場もあるし、先頭を切って「生徒を増やそう!」と声を上げています。来たいと言っている子にはすべて「大丈夫!」と言うようにしています。そうして「部員数が多いからバスケットの先生を入れてください」とお願いしているんです。

実を言えば早い段階からアシスタントコーチの先生はいたんです。ただ、なかなか続かなかった。初代は英語の先生です。彼はNCAAの強豪、インディアナ大学の大学院を出た人で、バスケットもわかっていて、学校としてはいい人材だろうと思ってくれたようです。ただ、我々が住む〝切った張った〟の世界の人ではなかった。今でも顧問としては残ってくれていますが、一線からは少し引いたところにいます。留学生の受け入れなどはすべて彼がやってくれていて、ウインターカップの決勝戦くらいは応援に来てくれます。

彼のあとも系列の日本経済大学からアシスタントコーチを入れたのですが、続かなかった。そのあとに今、東海大星翔高校を見ている本郷宏を呼び戻すことができたんです。本郷も2009年の大阪インターハイくらいまではいたのだけど、彼が東海大星翔に移ってからは、しばらくいなかった。

そうしたところに今井康輔が「帰ってきたい」というから入れてもらった。これで後継は大丈夫だと安心していたんだけれども、今井が体調を崩して、無理ができなくなってしまった。そんなこともあって、私が今も監督をやっているんです。当初のイメージでは男子バスケット部の全権を今井に任せて、私は加藤廣志先生にみたいにベンチの後ろに座る構図にしたかったんです。

ただ全国を見渡しても、仙台大学附属明成高校は佐藤先生が監督をやっているし、土浦日本大学高校（茨城）の佐藤豊先生も、監督の座こそ息子の豊文先生に譲りましたが、まだまだ元気です。数年前には全中の会場で永野進先生（元・東海大四高監督）と再会して、「俺も（浜松学院中・高の）石川（友康先生）も現役でやっているんだから、お前なんかまだまだだぞ。若い、若い」と言われました。まだまだベンチ前からは離れられそうにありません。

その後も、教員としては入れられなかったけど、現在、開志国際高校のアシスタントコーチをしている津野祐樹がアシスタントコーチを務めてくれました。彼は本丸中から福岡第一に来て、日本経済大学を卒業後、ウチでコーチをしていたのですが、中学時代の恩師である富樫英樹先生が開志国際に移ったタイミングで、彼も移っていきました。そうして2020年、日本体育大のキャプテンをやっていた武藤海斗が帰ってきた。彼らのような若いバスケットの指導者を入れるためには、やはりバスケットをやる子がたくさんいないと入れられないわけです。

最近は卒業生のサー・パパ・ブーバカーも留学生の個人スキルを中心に見てくれています。アシ

現在アシスタントコーチを務めてくれているOBの武藤海斗(左)

スタントコーチの先生方は学校から有給休暇を取ることを奨められているのですが、サーには「俺とお前は貧乏暇なしだから、ずっと練習をやるぞ」と言っています。彼は山口にできる新しいプロチームにも名前が入っているし、最近はエージェントのようなこともやり始めています。会社を作りたい、でもお金がないって言うから、しょうがないかなと思って援助しました。ここまでつきあっているんだから、私で協力できるところはしようかなと。彼もバスケットしかできない。会社勤めなんてできない。でもそんな彼を日本に連れてきたのは私です。初代セネガル人留学生。それが今では帰化して日本人になっているんです。お父さんも亡くなって、私が半分お父さんみたいなものです。

そういう子が何人かいます。就職のときに「先生、保証人になってもらえますか？」とやってくる。「それは大学の先生にしてもらうことだろう？」と思うんです。少し前にも留学生が福岡の企業に就職することになって、保証人になる書類を持ってきました。「大丈夫かよ？」とドキドキしました。「この人に何かあったら、保証人が損害を補償する」みたいに書いてある。もうしゃあないと思って判を押しました。妻や子どもたちにそれを伝えたら「そりゃ、お父さん、しゃあないやろ。家族なんやもん」と言ってくれました。

若い先生たちに言いたいのは、特待生や留学生を連れてくるというのは、それくらいの覚悟を持ってやらなきゃダメだってことです。表現は悪いけど、チームが勝つために彼らの力を利用しておいて、いい大学に入れたからそれで終わり、ではないと思います。やはり一生付き合っていくくらいの覚悟が必要です。特に私学の先生はそう思ってほしいです。それができるのが私立ですから。県立はやりたくてもできないわけです。人と人のつながりは変わらないけども、転勤があるからチームが変わっていく。でも私立は人もチームも、よほどのことがない限り、ずっと続くんです。それが責任です。来て、やらせてしまった、そしてバスケットを好きにさせたわけですから責任を持たなければいけないと思います。

普通に就職でもしてくれたらホッとしますね。でも最近は大学を卒業して、就職させてもらったのに、やっぱりB・LEAGUEに行きたい、先生いいですか？ と言いに来る子もいます。一応はやめろと言いますが、言い出したら仕方のないところもあります。私自身が中村学園女子を辞めて、福岡第一に替わるときがそうでしたから。誰かが「やめておけ」と言っても、一度気持ちが動いたら、簡単には変えられないのが20代、30代です。

## 学校の仕事も疎かにしない

若い先生は生徒に対して対抗意識があるものです。舐められてたまるかと。私自身、「俺のことを尊敬しろ」みたいなことがなかったわけではありません。威張りたいときもありました。するとそこに溝ができるから、それを埋めようと説得して、逆効果になることもありました。

今は生徒たちと年齢が離れたこともあって、むしろフランクに話すようにしています。朝と帰りは必ず教官室に入って、「おはようございます」と「お先に失礼します」と言わせるようにしています。そうして全部員と1日1回は必ず話すようにしているんです。顔を見て、何か一言二言しゃべる。「気をつけて帰れよ」でもいいし、「ケガは治ったか?」、「熱は下がったか?」でもいい。「今日はなんかシュートが入ったね」。そういう言葉が実はものすごい誉め言葉なのかもしれません。「おお、先生、見とったっちゃね」みたいな。特にBチーム以下の子たちにはそうでしょう。

また、できるだけ生徒よりも先に来て、できれば生徒をすべて帰した後に帰ることが近年の目標になっています。でも私より早く来る生徒もいます。小川麻斗なんて6時か6時半には来て練習をしていたそうです。私が頑張って7時に来たって、すでに来ているんです。それでも他の生徒よりは先に来ているから、彼らが「おはようございます」と言いに来たら、こっちはしめしめと思うわけです。向こうは「あ、今日も先生が先にいる」と思うから、それだけで少し引け目がある。そうやってできるだけ長い時間子どもたちと一緒にいて、会話をすることが何よりかもしれません。褒めようと、怒ろうと、要はついてきてくれればいいわけですから。

ただしそれは今の私の考え方です。先ほども書いたとおり、若いころは威張りたかったし、舐められたくなかった。それがあっての今です。だから30歳のときのコーチングと、40歳のコーチングは当然変わるだろうし、今は担任も授業もないので、そこでのコーチングもまた違ってくるでしょう。50代の今も20代のときと同じだったらおかしいでしょう？　逆に言えば、今20代のコーチが50代の私と同じようではおかしいわけですよ。20代はトゲトゲしく、ガンガン行け、です。嫌われようが何されようが、突き進んでいいのが20代であり、30代です。

バスケットに限らず、ベテラン指導者の書籍などを読んだ若い先生が「よし、俺も今日から同じことをしてみよう」と思うかもしれません。それが大きな間違いなんです。1年生は1年生です。彼らに2年生のことは望みません。でも3年生が1年生だったらまずいわけです。1年生のときに3年生のように振る舞う必要はなくて、1年生らしくやればいい。先生たちも20代は突っ走ってもらって、

30代くらいから少しずつ分かってくればいい。家庭を持って、親になって、40代でだんだん責任を持たされ、50代になったら後継者を作らなければいけなくなる。そのように段階を経ていくことが大事だと思います。やはり指導者になっていくにも時間がかかるんです。

実際、福岡第一にも後継者になるような若い先生たちが入ってきていますが、私立はいろいろと大変な面もあります。どこの私学もそうでしょうけど、校長よりも上に理事長がいて——福岡第一は兼任していますが——その理事長の考え方ひとつで変わるわけです。県立高校は変わらない。何事でも決めるのは教育委員会です。学校のなかで何かが変わることはない。しかも県立が変わるときは決定に多くの時間がかかるのだけれども、私学は理事長なり、校長の裁量ひとつです。「明日、この学校をこう変えましょう」と言ったら、長の裁量で変えていいわけです。「これまでバスケットを強化していたけど、来年から強化はやめましょうか」と言われたら、そうなるわけです。もちろんそんな乱暴なことはしませんが……。

井手口が定年で辞めることになった。もうバスケット部の強化を終わらせようかと思うかもしれない。井手口が辞めたんだったら、公募して、バスケットの指導者で日本一になれる人を招き入れることもできる。そうすると私が思い描いていた、卒業生が後を継いでくれたらOBを含めていいだろうという未来像も崩れるかもしれません。

今は私が校長(理事長)になんとなくかわいがってもらっているからいいけど、何かで歯向かったりして、もういいって言われたら、バスケット部そのものが福岡第一から消えるかもしれないんです。とはいえ今の学校法人都築学園は学園全体としてバスケット部が認められています。系列の日本経済大学にも男女のバスケット部があるし、兵庫にある神戸医療福祉大も関西大学リーグで一部に上がりました。それらの男子バスケット部はいずれも教え子が監督をしています。神戸医療福祉大学の男子は、初めてアメリカ遠征をしたときに1年生だった田川博久が見ています。女子はかつて日本航空JALラビッツでプレーしていた岩村裕美さんが入ってくれました。今はバスケットという競技が都築学園のナンバーワンスポーツに近いわけです。たいていは野球かサッカーですが、それらよりも上にあるんです。それはバスケット界にとっていいことでしょう。桜花学園もそうだし、岐阜女子もそう。学園にとってバスケットが認められているわけです。

「来年から強化部を変えましょう」

そんなことを言わせないくらいの結果を出さなければいけないし、学校の仕事もしっかりやっていなければいけない。

先ほども触れましたが、私学には転勤がほとんどありません。だからこそ学校の他の先生方に支えてもらわないといけない。彼ら、彼女らに「なんや、バスケット部は」という思いを抱かせると、チームの存続さえも苦しくなるんです。勝っても、負けても「おお、お前はバスケット部か。練習も頑張らんといかんぞ」と言ってもらわなければいけない。そう思ってもらうのも大変なんです。

一昨年までは教頭だった私が一番に学校に来て、職員室で早めに来る若い先生に「おはよう」と告げる。そうして彼らが掃除をしている姿を見届けてから、体育館に行っていました。帰りはもう誰も教員は残っていません。バスケット部が一番遅いわけだから。それだけでもわかっている人がいるから、悪くは言えないんです。「教頭はいつも一番に来とぉぜ」。それを若い彼らができるかどうか。

日本一になろうが何だろうが、学校のことを疎かにすると、足元をすくわれます。これは間違いない。他校の例で申し訳ないのだけど、尽誠学園の色摩先生がいい例です。ウインターカップの前、日本一も狙えるというチームを率いているのに、「先生、この日の授業はしてから行ってね」と言われるわけです。これが教員です。ウインターカップで、もしかしたら日本一になるかもしれない、渡邊雄太くんみたいなすごい選手を育てている先生であっても、学校は「先生、この時間は授業です。大会に行くなら、ここまでやってから行ってください」と言われる。これが教員の現実です。

外国の人から言わせるとアンビリーバブルな世界のようです。以前、外国人のコーチから「お前、いくら給料をもらっているんだ?」と聞かれたことがあります。「アンダーカテゴリーの日本代表の監督もやって、県の代表でも監督をやっているのか? 自分のチームも持っていて、学校の先生もやっているのか? いいな、いっぱい給料がもらえて」と。

「いや、給料は学校の先生分だけだ」

「え、なんで？」

「監督はボランティア……日本はボランティアでやるんだ」

「信じられない」

それに関してはいろんな意見があると思います。ただ、私は日本の良さだとも思っています。

## アシスタントコーチの本分

私はアシスタントコーチとひざをつき合わせるようなミーティングをしません。それをしなくても毎日の練習がミーティングみたいなものだからです。それをする必要性に迫られるかどうかは、彼らが理解しているかどうかを見ています。彼らも育てなければいけないので、すべての答えは出しません。よほどのことがあれば言います。怒ることもあります。自分の立つ位置、たとえばAチームの練習をやっているときはアシスタントだけど、Bチーム以下の練習は彼らがメインのコーチにならなければならない。いや、本当はBチームもCチーム、Dチームでさえも私が見てあげたいんです。Aがトレーニングをやっているときなどは、BやC、Dの練習を見てあげたいんです。彼らも私に教わろうと思って福岡第一に来ているわけですから。そうしなければいけないのは重々わかっているけれども、一方で安田や武藤を一人前のコーチにしなければいけないから、彼らがメインで見る時間を作るようにしています。

２０２１年は１年生だけで45人も入ってきたので、武藤に１年生を見させるようにしています。またＢやＣが練習試合をしているときは私が審判をすることもあります。彼らにベンチワークをやりなさいと。

そこで何かが起こっても、私から「こうしたほうがよかったんじゃないか」なんて言いません。彼らから「どうでしたか?」と言ってくれれば別ですけど、今のところはそういうケースも少ない。彼らがそこから一歩を踏み出せると、次のステップに進むでしょう。ただ彼らにとっては、私に聞くことが一番苦しいわけですよ。私と彼らの教官室を分けたのもそのためです。スペースのある福岡第一ならではかもしれませんが、彼らからしてもそこで一息つけるんです。常に一緒にいると、お互いに気を遣って、疲れますから。

もちろんアシスタントコーチの存在は大事だと思っています。たとえばスクリメージをしたとき、当然私はスタメンを中心に見ます。彼らは控えのメンバーに指示を出す。これは当たり前のことです。加えて、スタメンの子が私に何か言われたとき、それに対して深い、細かいアドバイスを言ってあげるのも彼らの役割です。私の言葉数が少ないときは「先生はこういうことを言っているんだぞ」といったプラスアルファを瞬時に助言する。私の言葉数が多いときは、余計なことを言わない。「頑張ろう!」くらいでいい。そのさじ加減。

私自身、アシスタント歴が長いんです。中村学園女子でもそうだし、アンダーカテゴリーの日本代表では佐藤久夫監督、富樫英樹監督のアシスタントコーチも務めました。試合や練習では2人に作戦盤を手渡していたんです。そうして、自分だったらこうする、今のこの練習だったらこうするという考えは持っていました。若い先生たちにそれがあるかな？　と思いながら見ていますけど、まだそのレベルには達していないように思います。

日本代表のときは、何かを思っても、その場では言いません。富樫監督は大学の同級生ですが、それでも「富樫、これはどうなの？　これでいいの？」という自分の考えは後で話をするようにしていました。佐藤監督にはなかなか言えないけど、それでも「久夫先生、これでいいんですか？」という話くらいはできます。「んにゃ、これでいいんだ」と言われれば「はい、わかりました」と言うしかありませんでしたが。

それは中村学園女子時代に鍛えられたことでもあります。吉村先生が何を言っているのか、子どもたちがわからないとき、それをかみ砕いたり、怒ったり、なだめたり、ときにはご飯食べさせたりしながら教えてきました。「先生、吉村先生の言っていることがよくわかりません」、「ん、わからない？　そりゃ40歳のおじさんが言っていることなんて、お前らにわかるわけがなかろうが。いいからやれ」というような乱暴なこともやってきました。でもアシスタントコーチとしては、常に監督と選手にいい関係になってもらいたいだけなんです。それがアシスタントコーチの役割です。

Bチームを教えるときは、自分のやりたいことをやりたいけれども、やはりAチームに上がるためにはどうしたらいいかを一生懸命に教えることが大事です。1人でもAチームに上がれたら、それはアシスタントコーチとしての勲章になります。

中村学園女子時代にこんなことがありました。吉村先生がAチームだけを連れて遠征に行った。私が残っている子どもたちの練習を見る。先生たちが帰ってくる。「どうだった？」「先生、こいつ、いい感じに伸びたからAチームに入れてみてください」。入れてみたら、全然ダメだった。「全然ダメやないか」。ガッカリします。逆に「おお……まぁ、いいね」と言われたら、私としては、心のなかでグッとガッツポーズです。その子がAチームに定着したら、よかったなと。自分としてはいい仕事をしたなと思うわけですね。

## ノーブランドだからこそ本音で勧誘する

随所で触れていますが、2021年の春、45人の1年生が入ってきました。2020年は新型コロナウィルスの影響で思うようなリクルートができませんでしたが、それでも今年も楽しみな子たちが入学してきてくれました。5人くらいはすでにAチームに入っています。

創部当初のリクルートは本当に苦労しました。お願いしたって来てくれなかったんです。中村学園女子のときとは大違いです。何者かもわからない〝ぺーぺー〟であっても「ああ、中村学園女子の方ですか。どうぞ、校長室へ」と案内されていました。校長先生も「ああ、中村学園女子の……そう、石井先生の下でやっているの？　頑張りぃね。コーヒーでも飲むね？」という感じだったんです。それが福岡第一に替わったら、バスケット部があるかどうかも知らないから「何？　第一にバスケット部なんてあったんか？　ああ、今は忙しいけん」と門前払いをされたこともあります。職員室までは通されて「福岡第一の井手口と申します」って名刺を出したけど、職員室を出るころには名刺がゴミ箱のなかに、ということもありました。

そんなときでも私のことを大事にしてくれた人は、いまだにつきあっています。その先生が指導しているチームであれば、強かろうが、弱かろうが、その先生が言ったことには「はい」と「イエス」しかない。私より年下の先生であっても、です。「井手口先生、お願い」と言われたら、たいていのことは受け入れます。

アンダーカテゴリーの日本代表監督をやっているときは「もう入れられない」と断ったこともあります。そのときはなかなか勝てなくて、「見てみろ、弱くなったじゃないか」と言われました。2009年くらいまでは見境なく来たい子を受け入れていたけど、その後、自分がちょっと日の丸をつけるようになったら、気づかないうちに偉そうにしていたのかもしれません。私としてはそんなつもりはないのですが、結果が伴わないとそう思われても仕方がない。

2014年は九州大会の初戦で沖縄2位の興南に負けました。九州大会で初めて、初日に負けたんです。その後の千葉インターハイも初戦負け。「てめぇが日の丸をつけていたら、それでいいのか？」自分のなかにそんな思いも芽生えてきて、ちょうどそのタイミングで程よく外されたから、よかったのですが……。そう考えると、福岡第一に入りたいとか、井手口先生と一緒にバスケットをしたいと言ってくれる子どもがいるだけでも、ありがたいことだと思っています。

もちろん人数が増えて困ることもあります。たとえば保護者も入れると、応援席がいつも足りないんです。席を追加してもらったこともあります。2019年の鹿児島インターハイでは、鹿児島の先輩に席を多く出してほしいと頼みました。ウインターカップも、2020年からまた東京体育館に戻りましたが、それ以前に東京体育館でおこなわれていたときは日本バスケットボール協会の人や、東京都高体連の人が主な運営をしていたので、彼らに席の確保をお願いしたこともあります。むしろ「おい、井手口、明日何人来る？」と聞かれたり、「明日からは増えるだろう？」、「すいません」、「わかった。じゃあ、この席はスポンサーの方からもらって、その人たちは別のところに座らせよう」と言っていただいたこともあるんです。

リクルートに関しては、とにかくできるだけ試合を見に行くようにしています。このチームには誰がいるとわかっていても、自分の目で見るようにしているんです。自分の感性に引っ掛かるかどうか。この子であれば福岡第一で生きそうだという子に声をかけたいと思っています。

半分笑い話ですが、最近はなんとなく彼らの顔や、ご両親の顔を見れば、ウチに向いているかどうかはわかるようになりました。たとえば鶴我隆博先生が率いていたころの西福岡中なんてよくウチに練習試合に来るんです。多いときは毎週来ていました。いい選手も多いし、誰にでも声をかけられる状況なんだけど、「鶴我先生、ウチに来そうなのは、この子と、この子くらいですか？」と話したりします。「この子は来ないですね？　大濠ですね？」。ご両親の顔を見て、「彼は県外の高校ですね？」と、なんとなくわかるんです。

福岡第一のような大人数のチームだと試合に出られないかもしれない。内実を知らない人は、邪険に扱われるのではないか、十把一絡げにして、ぞんざいに扱われるんじゃないか。そう思うのでしょう。だったら、もう少し部員数が少なくて「試合に出してあげるよ」と言ってくれた高校に行ったほうがいいと考えるようです。ただ、そうした学校に行っても出られなかった子を、私はたくさん見てきました。

私は決して嘘をつきません。

「私はあなたをスカウトしたいけど、試合で使うかどうかはわかりません。練習はきついです。休みもありません。でも来てくれんやろうか？」

1年生からスタメンで起用した並里成でもリクルートのときは「試合に出られるかわからんよ。一般生でもいいやつが出てきたら、俺はそいつを使うから」といったスカウトの仕方でした。それでもよければ来て、というスタンスです。

ただ私が直接声をかけるってことは、たくさんいる中学生の中で一緒にやってみたいという気持ちがあるからです。でもそれは絶対に君を使うという約束ではない。申し訳ないけど。「それでもいいですか、お父さん、お母さん？　それで考えてください」と伝えます。それを聞いてもなお「それでいい」という考えの人と一緒にやりたい。「うちの子はこんなにうまいのに、なんだ、その言い方は？あそこの先生はすぐに頭を下げてきたのに、第一の先生は使わんみたいな言い方をした」。そういう人は、いくら上手な子であっても、来ないで結構です、と思います。

私にブランドはありません。ノーブランドです。無印。事実として、何度か全国優勝をしていますが、いまだに無印だと自認しています。

河村勇輝だって最初からすごい選手だったわけではないんです。そういう子たちが頑張って結果を出しているのが福岡第一です。並里だって、もしあのまま沖縄に残っていたら、今とは全く異なる人生を送っていたかもしれない。バスケットがあったから生きてこられたんです。そういう一途な子、バスケットがなくなったら自分の人生は終わってしまうかもしれない。それくらい一途にかけてくれる子たちです。どこかに保険をかけながらやる子ではなく、バスケットファーストな子だったり、その親でなければ、私とは一緒にやれないと思います。

## 変わりつつある福岡第一の印象

どんな親御さんであっても、自分の子どもがうまくいっているときはいいんです。でもこれだけの人数がいたら、どうしても起用できない子も出てくる。小川麻斗の兄、翔吾はジュニアオールスターの優秀選手でした。同じくジュニアオールスターで福岡県選抜に選ばれた金田智樹と一緒にウチに来ました。しかし彼らが3年生になったとき、2人ともベンチに入っていません。鶴我先生の指導を受けて、ジュニアオールスターの決勝まで進んだスタメンの2人が、2人とも福岡第一ではベンチに入れなくて、渡辺竜之佑や大城侑朔など、沖縄から来た子がベンチに入った。

私自身は弟の麻斗を何としても取りたかったけど、ご両親や翔吾の気持ちからしたら「福岡第一には行くな」と言うと思ったんです。翔吾が決していい思いをしていないからです。それでも麻斗がウチに来てくれたのは、小川さんもそこまで私のことを裏切り者とは思っていなかったのかなと。そうでなければ、麻斗をウチには入れなかったと思います。大濠だってどこだって行ける実力のある子でしたから。ただ、私自身はどうしても麻斗が欲しかったから、県大会だろうが九州大会だろうが、全中だろうが、麻斗に貼りついていきました。

正直なことを言えば、当時は河村なんて眼中になかったんです。まずは麻斗でした。麻斗なら福岡第一のバスケットができると思っていたから、麻斗だけはと思っていたんです。彼を知った当初、なぜ鶴我先生が2年生のときから麻斗をスタートで使っているのか、わかりませんでした。「麻斗なんて大したことないように見えるんだけどなぁ」と思っていたけど、鶴我先生はずっと使い続けていた。そうしたら麻斗が3年生になったとき、すべてが麻斗のチームになっていたんです。なるほど、そういう力があったのかと。福岡第一を、重富友希・周希が3年生だったときみたいにするには、麻斗がいなければ……麻斗だけは逃してなるものかと思っていました。

まず麻斗が決まった。よし。河村も気になっていたから、できる限り見に行くようにはしていました。学校(柳井中学)へ挨拶に行くと、河村のお父さんがいた。実はそのときまでお父さんが柳井中の先生とは知らなかったんです。それくらい河村に対する関心は薄かった。でも山口県の中学校の先生たちがとにかく河村のことを褒めるんです。

一方で同じ山口県の神田壮一郎は違う視点から勧められました。

「神田は大変な子だから、井手口、お前しか預かれないかもしれない。ただ〝玉〟はいい。県内の学校では大成しないだろう。お前のところで鍛えてもらえれば、大成する可能性がある」

そう言われたんです。神田のところにも行った。彼としても、なんとなくいい話だと思ったんでしょう。反応がよかったので、これは来るんじゃないかと思っていました。

そんななかで河村のところに行ったら、お父さんが開口一番「西福岡中の小川くんが来るんでしょう？」。知っているんだと思って、「はい、そうなる予定です」と言ったら、「じゃあ、ウチの子はいらんでしょ」って言われた。「ああ、来た……ダメだ」。そう思いましたが、私は重富兄弟で優勝していたから、「福岡第一のバスケットはツーガードなんです。勇輝くんと麻斗がやってくれると、留学生の力も借りますけど、必ず優勝できると思って、来ました」と言いましたね。2回くらい行ったかな。

河村自身は頻繁に練習に来てくれたんです。でもある日パッタリ来なくなった。ああ、もう来ないのか。そう思っていた11月の終わりか、12月のはじめに「明日、練習に行っていいですか？」と電話があった。律義にお断りに来るのかなと思ったんです。もしくは練習したいから来るのかなと。そのときすでに麻斗たちは練習に来ていましたから。そうしたら当日「お世話になります」。ビックリして、腰が抜けました。「え？　ホント？」って。

それはバスケットの成績とは異なる理由だったと思います。彼の成績や家庭環境に欠けているものがないんですよ。たとえば並里であれば、当時、家庭が経済的に大変だった。それを少しでもサポートしてあげようと思えば、沖縄よりも福岡に来てやったほうがいいだろう。そうした何かがありますよね。留学生だってそう。ここまで来るのも大変なんですから、私の出番があるわけですよ。

ただ河村や、1つ上の松崎裕樹などは私の出番がないんです。彼らは大濠か、洛南か、土浦くらいの層なんです。バスケットもうまい、成績もいい。オール5。全国レベルの超難関校だったら別

とにかく負けず嫌いで、誰よりも努力と練習が好きだった河村勇輝

かもしれませんが、県内でもトップクラスの進学校だったらどこでも通る。それでも福岡第一に行こうと思ったのには、別の何かがあったのだと思います。

学校にはそれぞれの〝立ち位置〟があると思うんです。県内の序列というか、一番手はどこといったランキングがある。私の母がそうだったように、親として「あそこには行かせたくない」という思いもあると思います。たいていの親は子どもの学力よりも高い学校に行かせたがります。受験だったらここくらいしか通らないけど、バスケットがあるから学力的に少し高い学校でも通る。そういう学校はリクルートがしやすいんです。福岡第一は逆です。たいていの子だったら受験をすれば十分に通る。そのレベルの学校が「ウチに来んか?」といっても響きません。

しかも彼らはそれぞれの中学でも優等生で、生徒会長みたいな目立つ存在。両親も素晴らしい。経済的にもしっかりしている。「授業料免除の特待生で」という言葉さえ殺し文句にならない。何も必要がないんです。強いて言えば体育館を与えられるくらい。朝から晩まで練習をやっていいと言ってあげられる。それに反応する子たちが来てくれるようになった。福岡第一がやっとそのあたりまで来たのかなと思っています。

2年生の平岡倖汰は、中村学園女子のバスケット部を見ている平岡雅司監督の息子です。お母さんは中村のときの私の教え子だけれども、お父さんが筑波大の出身だから、同じく筑波大を卒業した片峯監督の大濠に行くものだと思っていたんです。2人は仲良くしていたし、当然、倖汰は大濠に入れるだろうなって思っていた。しかし意外にも「ウチの子で役に立ちますかね?」と言ってくれた。勝ったからだけではない何かが生まれてきたなと感じました。それは私の力だけではなくて、周りにいろんな先生たちがいてくれるから、ウチに練習しに来たときに「福岡第一なら」と少し安心してもらえたのかなと思います。日々を一生懸命にやることが子どもの成長につながると、保護者の方々にもわかっていただけたのかもしれません。

そうしたら河村が「河村」に〝なってしまった〟わけです。河村を「河村」に〝する〟ことは誰にでもできるんです。でも河村が「河村」に〝なれた〟のは、もしかしたら福岡第一の力かもしれません。2019年の天皇杯で千葉ジェッツと対戦できたことや、その後、B・LEAGUEの三遠ネオフェニックスでデビューさせられたことも、もしかしたら私のプロデューサーとしての力があったからかもしれません。監督としての力ではなく、プロデューサーとしての力です。B1の三遠にお願いしたことで、彼らもあそこまで使ってくれて、メディアにもたくさん取り上げてもらえたのかもしれない。さまざまな状況が絡み合って、河村が「河村」に〝なって〟いった。昨年のハーパージャン・ローレンス・ジュニアもそうです。彼が琉球ゴールデンキングスの特別指定選手として注目されたのは、日々の成果であり、彼の努力であり、そして私たち福岡第一がやってきた、まだまだ未熟だけれども、ひとつの結晶なのかなと思います。

琉球ゴールデンキングスの特別指定選手として、
Bリーグ史上最年少得点を記録したジュニア

## もうひとつのリクルート

リクルートは当然〝入り口〟だけではありません。以前にも触れましたが、入れたからには出口も用意する責任があります。ただここでも約束はしません。「○○大学に入れてやる」というような約束はしない方がいいと思っています。

だいたい2年生の11月くらいから子どもと親の希望を、それぞれ聞きます。それをすりあわせないと、子どもは「東京に行きたい」、親は「行かせられません」ってことになりますから。そうした親子の折衝と、あとは受け手の大学の先生に取れるかどうかを確認していく。30人中25人くらいがそういう感じです。5人くらいはスカウトに来てくれるので、そこは本人の希望が合えば一番いいと思っています。

私個人とすれば、「先生、ボクはどこがいいですか？」と聞いてくれたほうが楽なんです。その子の実力やご家庭の経済力などはある程度把握しているから、ここだったら無理がないよね、ここだったら試合に出られるよねと言える。でもたいていは希望を言ってきますよね。「う〜ん、そこかぁ……」と唸りながらも、なんとか希望に沿うようにしてあげたいなと思案します。希望の大学がダメなら、近しいところを提案したりもします。

福岡第一に来る子はたいてい親元を離れていて、私たちが預かっているでしょう？　3年間、親と会うよりも私と会うほうが多いので、家族的になるんですよね。お父さんとお母さんも、私とはときどきしか会わないけど、息子を預けた親戚みたいになるから、卒業してからも、「先生、就職はどうしましょうか？」と相談されるんです。報告じゃなくて、相談です(笑)。そこは私たちも難しいんです。大学の先生がいるわけですから口を出しづらいところがあるんです。

高校の3年間というのは、いいときなんです。子どもから大人になるときで、親も先生たちと一緒に子どもの成長を見届けていて、大学に行くとなれば一人前になったと送り出すことになる。大学の先生はある程度一人前になった人を預かるから、割り切って付き合えるけど、我々は高校生の段階で、まだ世の中の右も左もわからない子を預かるから、かわいくなるんですよね。

卒業生には大人になってもバスケットに携わってほしいと思っています。ただ、結果としてバスケットから離れたとしても、それは仕方のないことだと思ってます。その子が選んだ人生ですから。東京でお好み焼き屋をやっている卒業生がいますが、関東の大学に進んだ卒業生たちがよく行っているみたいです。美容師をやっている子もいる。小川や、明成から日本体育大学を経て、自由ケ丘学園高校の監督になった井上駿くんなど、世代や学校を超えて、彼の店で髪を切ってもらっているようです。そういう話を聞くと、やはりバスケットのことは忘れていないだろうなと思うし、うれしいですよね。

もちろん学校ですから、進学率を上げるとか、進学実績を残した方がいいんです。だからといって、有名大学に入れた方がいいということはないと思うんですよね。実を言えば、当初は私もそういうことばかりを考えていました。それで子どもや、その親に苦労をかけてしまったと、今なお悔やんでいる例もあります。もしその大学を選ばず、別の大学に進学していたら今頃B・LEAGUEで活躍できていたんじゃないかと思う子もいます。そこは私に色気が出てしまった。悔やんでも悔やみきれないミスです。

なぜ色気を出してしまったのか。次のリクルートをするときに「国立大学にこれだけ行っていますよ」、「東京六大学にこれだけ進学していますよ」と言えばリクルートがしやすいからです。そう言えば選手が来てくれるもんだと思っていたんです。でも最近、それで来る子はその程度の子だな、と思うようになりました。最たる例が河村です。彼は勉強で国立大学に行けるような子だったけれども、どこへ行くかと聞いたら、東海大だと言った。それも堂々と。いろんな大学、たとえば筑波大や青山学院大を断って、東海大に行きますと。その後、B・LEAGUEに特別指定選手で入ったことで一悶着はありましたが、彼なりの考えがあってのことだし、今はこれでよかったのかなと思っています。

## B・LEAGUEへの苦言

2016年にB・LEAGUEが開幕しました。子どもたちも大学からB・LEAGUEへと思い始めたと思います。ただ私個人の考えとしては、B・LEAGUEはまだまだこれからのリーグだと思っています。

先ほども書きましたが、大学を卒業して、就職を決めた子たちまでもがB・LEAGUEの選手になりたがるようになってきました。正直これにはちょっと困っています。大学を卒業して、関東の実業団や、九州の、たとえば九州電力などで働き始めた子であっても、「あれ、あいつ、どうしたの?」

と聞くと「辞めて、B(・LEAGUE)に行きました」と。私としたら、九州電力にずっといたほうがいいだろうと思うわけです。B・LEAGUEへの憧れなのか、「あいつができるんだったら俺だってB・LEAGUEでできる」というライバル心なのか、そういう子たちが増えてきています。若者の行く末がどうなるのか。これは日本のバスケット界がみんなで考えなければいけない問題だと思います。

いったい何人がB・LEAGUEで一生の生計を立てられるのでしょう。そう考えるのはやはり教員だからかもしれません。もしくはバスケットをやっていた先輩として、教員になったら、なんとなく一生食べていくだけの力は得られるけど、今30歳くらいでB・LEAGUEにしがみついている人たちの将来はどうなるんだろうと考えてしまいます。もちろん自分の夢を追いかけたのだから、それはそれでいいのでしょう。でもちょっとまだB・LEAGUEで安定した収入を得られる世の中ではないと思います。相撲やプロ野球には及びません。サッカーもそうですが、若者たちがその煌びやかさに惑わされているのかなと思います。

B・LEAGUEが悪いというわけではありません。目指すべきプロの舞台は絶対にあったほうがいい。ただ、本当に力のある選手だけのリーグにしたほうがいいんじゃないか。チームを増やさず、狭き門にして、本当に力のある子だけがB・LEAGUEに行く。野球で言えば、大学野球があって、社会人野球があって、BCリーグ(独立リーグ)があって……そこがしっかりした組織なのかはわかりませんが、そのうえでプロ野球を目指そうという構造になってくれたらいいのですが、現状のバスケット界はまだそこまでではないと思います。

実業団リーグも地域リーグにしてあまり意味がないものになってしまいました。実業団の全国大会で優勝すれば、会社側も「そうか、プロではないけど、社会人ではウチのチームが日本一なんだね」と思うわけです。高校生を指導する側の意見としたら、それを考えます。

むろん河村レベルであれば、B.LEAGUEに行って、プレーヤーをやって、引退後はコーチやスタッフとしてやっていけるかもしれないけど、全体を考えると……そこは心配です。親心です。

本間遼太郎がB.LEAGUEを辞めると言ってきました。最後はB3の東京サンレーブスでした。遼太郎に「次は何をするの？」って聞いたら、千葉にできた新しいチームのスクールコーチだと言うわけです。千葉ジェッツではありません。ジェッツならまだいい。聞いたことのないチーム名（レヴィスタバスケットボールクラブ）で、そこのスクールコーチだと言うわけです。「食っていくくらいの給料をもらえるのか？」と聞いたのですが、「わからない」と言う。

彼は富樫（開志国際高校監督）が中学の監督をしていたときの教え子ですから「新潟に帰って、富樫にお願いして、どこかの教員を探してもらえ。非常勤でもいいからやって、常勤になって、教員になったらいいじゃないか」。そうアドバイスしたけれども、「いや、とりあえずはそっちでやります」と譲りませんでした。スクールコーチもある程度の人数を集められたら、生活できるだけの収入になるのでしょう。でも、実際のところはどうなんでしょうか。

働き方改革などもあって、学校の先生は学校の仕事に専念し、部活動の指導は外部コーチに、などと言われています。子どもたちを育てていく中で、スポーツに子どもの健全な育成を望まないのであれば、それでいいと思います。好きなことだけをするということであれば、いわゆる〝塾〟でもいいわけです。点数の取り方を教わればいいわけだから。でも学校は目上の人に対する態度だとか、人としてのことも教えながら、それぞれの教科も教えています。国語の先生であっても、社会の先生であってもそれをやる。部活動にもそうした側面があると思っています。ましてや今、家庭でのしつけが崩壊に近い状態にあって、どこかで子どもたちにそうした社会性を教えなければいけない。私にとっては、それが福岡第一のバスケット部かなと自負しています。

外部コーチに託すという考え方ではそれがなくなってくるし、ましてやスクールはお金をいただいてやるわけだから、先生と生徒という関係とは少し異なります。年々、バスケットがひどくなっていかないかと危惧しています。

## インスタントではない出汁を

少し硬い話になりますが、続けます。

そうするとバスケットという狭い世界だけでしか通用しない人になるのではないか。スポーツとはそういうものではないと思います。たとえば、我々はイチローさんを見て、すごいと思うわけです。野球が好きとか、嫌いとかじゃなくて、彼の人間性も含めてすごいと思う。バスケット界にもそういう選手がたくさん出てこないといけないのではないか。本当の意味でのバスケットの普及とはそういうことだと思います。

バスケット界から世の中に感動を与えられるようなものを提供しなければいけない。それを我々指導者は育てていくわけです。子どものときからです。そう考えたときに、すべての人がそうだとはいわないいけれども、今のスクールコーチの人たちで大丈夫なのかと心配になります。今は誰だって、ライセンスさえ取ればコーチになれるんです。ライセンスを取るための講習会があり、誰かが講師を務めます。その講師がどれだけの理念や考え方を持って伝えてくれているのか。

福岡第一にもよくクラブチームが来ます。電話をかけてきて、中学生を斡旋してくる人もいます。中学バスケットの舞台も徐々に中学校ではなくなってきているんです。富樫が中学を辞めて、鶴我先生が定年を迎え、沖縄・コザ中などを見ておられた松島良和さんも亡くなられて……男子のバスケット界はどうなるのか。本当に心配しています。彼らに代わるような人で人間教育を……親まで教育できるような人が今、いないんです。

たとえば、ベンチに座ったまま指揮をしているスクールコーチを見かけます。座って指揮を執る

コザ中学を長く指導されていた故・松島良和さん(下)。
昨年度は５人コザ中出身選手が在籍していた

ことが悪いのではありません。でも我々からすると、試合を見にくる保護者は味方だけども、敵でもあるんです。だからいつ見られてもおかしくないようにしておかなければならない。そういう感覚が薄いのかなと思うわけです。コーチ自身が社会人として揉まれていない。たとえば大学を出てプロでバスケットをし、引退し、そのままスクールコーチとなった。そういう人は電話一本取ったこともないはずです。会社の掃除をしたこともない。

「先生、そういうのは今の世の中、流行りませんよ」

そう言われるかもしれません。でもやっぱりそうしたところが私は大事だと思っています。そうしたことを子どもたちに教えられるのであれば、別に教員じゃなくても構わない。社会人としてしっかりしていれば、教えられると思います。ただ、そうじゃない人がたくさんいるから、苦言を呈したくなるんです。

B・LEAGUEでも、ちょっとアメリカに留学して、帰ってきて、コーチライセンスを取ったからB・LEAGUEのコーチをしている、選手とあまり年齢の変わらないコーチがいます。ただ選手も若者だから、プロ選手だけれども社会性も育てて、ファンとの接し方やマスコミとの接し方、そういうことも指導しなければいけないと思うんです。コーチだからバスケットだけをやって、あとは全部フロントがやればいいっていうことではないと思います。

そうしなければ、日本にグレッグ・ポポヴィッチ（NBAサンアントニオ・スパーズ）みたいなコーチは生まれないですよ。ポポヴィッチみたいに何十年も同じチームのヘッドコーチをして、チーム経営にも携わるようなヘッドコーチ……日本でいえば中村和雄さんのようなヘッドコーチがこれからのB・LEAGUEに出てくるでしょうか。中村さんだって高校の監督からずっと積み上げてきたところがあるし、桜花学園高校の井上眞一監督は元々中学校の先生です。中学生の気持ちや、中学の先生たちの気持ちがわかるから、桜花学園にあれだけの選手が集まってくるんです。そこが今のB・LEAGUEはまだまだ厳しいところかなと思うゆえんです。

いろんな経験や苦労をしていると〝味〟が出てきます。やはり出汁が効いていないと、美味しい味噌汁は作れません。インスタントの出汁もおいしいけれど、溶けたら終わりです。やはり、いりこや昆布でとった出汁は深みが違います。出汁をとった後、そのいりこを食べたり、昆布を佃煮に替えたりすることもできる。このままでは〝インスタント〟な世の中になってしまうのではないかと懸念しています。

少なくとも福岡第一は、いりこや昆布の出汁のように、手間暇をかけて育てて、次のステージに送り出しています。それだけの手間暇をかけているから、彼らが20歳になっても、25歳になっても、30歳になっても気になるわけです。そうすると頼ってくるわけです。「いや、頼る先は大学の先生だろう？」と言いたいんですけど、一方でどこかうれしい気もしています。

もし今の小学生、中学生にアドバイスができるとしたら、できれば「いいコーチ」のいるチームに行ってほしい。「いいコーチ」とは簡単に言えば、バスケットを通して人間教育をしてくれるような人です。バスケットのスキルやドリルは、どのチームでもあまり変わりません。特別な練習をしているコーチはいないと思います。私が示した「いいコーチ」は言葉かけが巧みなんです。やる気の出させ方や落ち込んだときのフォロー、怠けたときの叱咤ができる人だから、無駄ではない日々を目一杯送れるんです。それが高校バスケットでも必要になると思います。

公立中学だと、運・不運があるかもしれません。ただバスケットのことをあまり知らない監督だから不運だと思ってはいけません。バスケットのことはあまり知らないけど、生徒のことが大好きな先生、いつも生徒のことを考えてくれる先生のところに行った子はすくすくと伸びていきます。そういう子もいいなぁと思うんです。中途半端に、ちょっとバスケットを経験していて、バスケットの顧問になって「俺は経験者だ」と見せる先生に教わった子が一番不幸です。そういう人はきっと凝り固まった指導をされているでしょう。勉強もしない。むしろ素人だけど、やる気のある人だったら、中学バスケットを勉強します。自分がバスケットを知らないから一生懸命勉強して、いろんな高校に行ってでも教わって、生徒と一緒に成長していく。そんな人に教わった子は幸せです。

２０２１年春、西福岡中で定年退職され、ライジングゼファー福岡の育成部長に就任された鶴我先生のような人でも最後まで勉強していました。私の練習を見てメモを取ったりする。ああいう人のもとでやる子は必ず伸びるし、いいものを持ってきてくれます。そこに出会いを求めていけることがいいことだと思います。人としての本当のメンタルを磨かれます。親もまたそうした先生に出会うことで成長できるんです。

ただ間違ってほしくないのは、完全無欠な状態で高校に来てほしいのではありません。欠けている部分があってもまったく問題ないです。河村は確かに、どの方向から見てもいい子ちゃんでした。ただ〝底意地の強い〟いい子ちゃんでした。これが一番いいかもしれません。ただのいい子ちゃんではありません。負けん気が強く、決めたことを絶対にやるいい子ちゃんです。

ウインターカップの前、「シュートを何千本決めるまでやる」と自分で決めていて、それを夜11時か、12時くらいまでかけて、やり抜きました。小学校のときにもそれをやったら日本一になったから、高校でもやったみたいです。でもそれを私に「やった」とも言わないし、「やります」とも言わない。若いコーチが付き合わされていたようです。だから、やりすぎて体が悲鳴を上げたのかもしれません。優勝はしましたけど、ウインターカップでの彼の出来は決してよくなかったですから。無理がたたったのかもしれない。そこまでしようとすると、コーチはたいてい「試合も近いし、そんなことをするな」と言いますよね。「ここまでやったんだから、もういいだろう」と。でも彼は、極限までやったけど、そのもうひとつ先までやりたかった。そんな子です。ただの優等生くらいじゃダメですね。

そういう子には試合を預けられるんです。部員が100人いれば、単純に考えると200人の親がいて、100人の中学の指導者、100人のミニバスの指導者がいるわけです。そこにおじいちゃん、おばあちゃんを加えると何百人という人の思いを背負ってコートに立っている。そのなかで誰に試合を預けるかといえば、どこの誰に聞いても「あの子はいい」と言う子だと思っています。私の目には、速いとか、うまいとか、シュートが入る、それくらいしか見えないけど、ある先生に聞いたら「あの子は人間的に素晴らしい」と言う。別の先生にも聞いてもそう言うし、さらに別の先生に聞いても同じように言う。

福岡第一に入れるだけなら、それぞれの中学校の先生に話を聞くだけでいいんです。しかしチームの勝利を託そうと思う子であれば、他校の先生にも聞かないとダメだと思います。チームを託す5人を選ぶために、まず30人を選びます。そうして、いざ、そのなかからこの5人に託そうと思ったときに、託されなかった子も納得できる、その親も納得できる子がコートに立っていてほしい。必ずしもそういかないこともあるけれども、できればそれに近い子であってほしい。しかも1年生でユニフォームを着ることになれば、上級生の出番を奪って出ることになるわけです。だとしたら、それくらいの人間性を持っていなければいけません。

たとえどこかが欠けている子だとしても、欠けているところはあるけど、ほかの親が見ても、この子はやろうとしているし、助けてやらなければと思えるくらい、一途であってほしい。いろいろ欠けているんだけれども、頑張ろうとしている、あるいはよくなっていこうとしている。大人が見ればわかることです。判断基準はそこになるのかもしれません。

実は2020年の1年生はかなりよい選手が多くて、20人くらいがベンチに入れそうなんです。彼らが3年生になったときはベンチメンバー15人全員が3年生になるかもしれません。そんなことは今までありません。それでも入れない3年生が出てきます。力があるにも関わらず、です。

私が思っている以上に福岡第一の人気が出たのか、それとも一昨年の河村人気なのかはわかりませんが、私が想像していた以上に「来たい」と言ってくれる子が多かった。毎年、私が声をかけたり、知り合いから「この子が福岡第一でやりたいって言っているけどいい?」と言われて「どうぞ、どうぞ」と受け入れても、入学してくるのはせいぜい15人くらいでした。それが2020年は1年生だけで30人になっていましたし、2021年は45人になっていました。

前記のとおり、少数精鋭という考え方もなくはないんです。むしろそっちのほうが正しいのかもしれません。「お前ひとりで面倒を見られるのは何人だ? 1人じゃ見られないだろう?」。そう言われれば、確かにそうかもしれません。子どもたちとことん付き合おうと思ったら、少数精鋭のほうがいいのかもしれない。そこは学校の生徒募集などの問題もあります。他のクラブ、たとえば野球部やサッカー部がたくさん取り始めてくれれば、バスケット部は少し減らしてもいいのかなって思っているところです。

単に入りたいと志願してくる子には厳しいことも言います。「3年間、キミはBチームだと思うよ」と。失礼ながら、選手の実力はだいたい見ればわかるものです。この子は3年生になったらAチームに入れるかもしれないな、この子は3年間Aチームに入ることは厳しいだろうなと。その子に「それでもいいのか？」とはっきり聞きます。入部後にも言っているんですけど、それでも練習にきちんと来るんです。

たぶんそれは、試合に出る、出ないではない何かが福岡第一にはあるんです。Aチームの子たちと一緒の仲間としてバスケットをやりたいということなのでしょう。「どうも福岡第一は一緒に練習をさせてくれるみたいだ。Bチームだから、Cチームだからといって、まったく体育館にも入れてもらえないことはなくて、何か工夫して一緒にやらせてもらっているみたいだ」。そうすると「行ってみてもいいのかな」と思う子が増えてきているのかもしれません。

本当にありがたいことです。もちろん途中で辞めたい、自分は場違いだったという子も出てくるかもしれません。それでも私はそうした子にいつも言うんです。これからも言い続けるでしょう——福岡第一でバスケットを続ければ、きっと何か得られるものがあると思うよって。

DAIICHI
TEAM

# あとがき

人生とはつくづくわからないものです。
もしあのとき第一志望の公立高校に合格できていたら……
もしあのとき母が福岡大学附属大濠高校への進学を認めてくれていたら……
もしあのとき西南学院高校に戻ることができていたら……
いくつもの「もし」を越えた先に今の私があります。

2021年春、福岡第一高校・男子バスケットボール部に新しく入部してきた子は45人。2年生、3年生と合わせると100人を越えます。ついに100人越えです。創部以来、初めてのことです。冗談で「100人になるかもしれませんよ」と言ったことはあります。それが実現してしまった。もう思い残すことはありません(笑)。100人になったら、同じく多くの部員を抱える東福岡高校サッカー部の300人と肩を並べられるかなと。そんなふうに思ったりもします。

100人を超すメンバーでおこなう練習のローテーションもつかめてきました。これまで毎週月曜日はAチームの個人練習日にして、それ以外の子は休養日に当てていたんです。それを継続すると1年生がしっかり練習できる日を取れそうにない。そこで今年度からは月曜日をAチームの個人練習と1年生の練習にして、それ以外の2、3年生は休養日。1

年生は水曜日を休養日にしました。指導歴を重ねてきても、常に新鮮な気持ちで、考えられる工夫を施すようにしています。

1年生のなかには素晴らしい才能を持つ子もいます。すでにAチームに入れている子も5人くらいいるんです。本書を記している時点ではまだ公式戦で起用していませんし、練習で見せる力が彼らのどれくらいの本気度なのか、見定められていないところもあります。特にガードの2人、崎濱秀斗と山口瑛司は速い。崎濱に関しては並里成や河村勇輝よりも速いかもしれません。

2020年の1年生、つまり2021年の2年生ガード、轟琉維と城戸堅心もいい選手だと思っていました。河村と小川麻斗のようなコンビになれると信じていたんです。だからこそ、2020年もところどころで起用していました。そこに崎濱と山口が入ってきた。福岡第一のバスケットをしようと思えば、ガードには〝切る〟力が求められます。ディフェンスを切り刻んで、ゴール下まで潜り込んでほしい。ハーパージャン・ローレンス・ジュニアたちが卒業して、さぁ、そのポジションは自分たちが、と思っていた轟や城戸にしてみたら、この2人の1年生ガードは脅威です。彼らは今、必死に練習しています。「このままじゃやばい。井手口先生は俺たちを外して1年生を使うかもしれない」と思っているのでしょう。「自分たちもそうだった。先輩たちを外して使ってもらったんだけど、今年もそれは起こりうる」と思っていますよね。

それが部員の多いチームの現実です。それでも重富友希・周希は1年生からベンチに入っていたし、河村と小川もベンチに入っていた。松崎裕樹に至っては1年生からスタメンです。チャンスを得て、それを手放さずに努力を続けることができれば、結果はおのずとついてきます。崎濱と山口もその可能性を十分に持っています。

1年前は、今の2年生、つまり轟や城戸たちが3年生になったとき、福岡第一史上初のベンチ入りメンバー全員が3年生になると考えていました。本編でもそう書きました。それが1年も経たずに覆ってしまう。これが高校バスケットの面白さだし、醍醐味です。下級生の存在で上級生も伸びていくんです。これは見ていて楽しいことです。

福岡第一でそんな3年間を過ごせば、男になりますよ。大人の男になります。目先のことではなく、長い人生を考えたときに、生きていく力みたいなものがつくでしょう。実社会では理不尽なことが多い。苦しいし、きつい。美辞麗句を並べても意味はありません。それが紛れもない事実なんです。でもどこかでそれを教えてあげるべきだと考えています。今の日本にはそれがなくなっているのではないか。

バスケット部の監督としては、バスケットの勝ち負けだけを追求したいんです。でもこれだけの子どもたちを預かったら、まずは教師として、全員にそこだけは最低限伝えなければいけないと思っています。留学生に対してもそうです。

目上の人を尊重するとか、みんなに感謝をするといったことは、どの学校の先生たちもみなさん言っていると思います。そこにどれだけ多くの時間を費やせるか。そうした人間形成の時間を作りながらも、バスケットでは勝たせないといけない。勝つことによって、それが本質になる。人間形成だと謳って指導しながら、一方でチームが負けてばかりだったら、これもあまり効果はありません。勝つことによって、効果が出る。逆に勝つことばかりに力を注いでも、心が育たない。

勝ちながら、同時に心も育てる。それをしようと思えば、1学年5～6人の部員でもいいわけです。でも福岡第一はそうじゃない。たくさん入れることができる。そうした環境があって、ひとりでも多く預かって、そのなかで彼らが大好きなバスケットを本気で取り組んで、ありきたりの言葉で言えば、人として成長させていく。18歳くらいまでの子に対しては、「人」と「選手」の成長が両輪だと思っています。それはこれからも変わりません。

タイトルにある『走らんか！』は、2011年度の3年生だった山口拓也のお父さんが作ってくださった幟に記された文字です。他にも「守らんか！」と「決めてこんか！」だったかな、全部で3つあったのですが、私の口癖みたいなところもあったので、それを使わせてもらいました。文字どおり、福岡第一のバスケットはスピーディーに走ることが生命線です。

私自身、いろんなことを経験しながら、今も福岡第一で大好きなバスケットを腹一杯やらせてもらっています。定年まであと3年。その先はどうなるかわかりませんが、私が築いた福岡第一のバスケットのように、最後まで子どもたちと走り続けたいと思います。

2021年4月

都築学園 福岡第一高等学校
男子バスケットボール部監督
井手口孝

【著者PROFILE】
井手口孝（いでぐち・たかし）
福岡第一高等学校男子バスケットボール部監督

1963年生まれ。福岡県出身。西南学院高から日体体育大学へ進学。大学卒業後、地元・福岡県の中村学園女子高に赴任。その後、1994年から福岡第一高に就任し、男子バスケットボール部を創部。ディフェンスからの速攻を武器に、激戦区・福岡で頭角を現し、就任5年目の1998年にインターハイ初出場。2004年のインターハイでチームを日本一へと導き、全国屈指の強豪校へと押し上げた。過去インターハイ優勝4回（2004,2009,2016,2019）、ウインターカップでは2018、2019年の2連覇をはじめ優勝4回（2005,2016,2018,2019）を数える。これまでに並里成（琉球ゴールデンキングス）や鵤誠司（宇都宮ブレックス）、河村勇輝（東海大）など日本を代表するポイントガードを多数輩出している。

2021年春、部員がついに100人の大台に

# 走らんか！

―福岡第一高校・男子バスケットボール部の流儀―

二〇二一年七月九日初版第一刷発行
二〇二四年九月二五日初版第六刷発行

著　者：井手口孝
発行所：株式会社 竹書房
〒一〇二-〇〇七五
東京都千代田区三番町八番地一
三番町東急ビル六階
E-mail info@takeshobo.co.jp
URL https://www.takeshobo.co.jp

印刷所：共同印刷株式会社



＊選手や登場人物などのデータは、2021年7月時点のものです。